英語学モノグラフシリーズ 21

原口庄輔／中島平三／中村　捷／河上誓作　編

関連性理論の新展開
認知とコミュニケーション

東森　勲
吉村あき子　著

研究社

まえがき

　私たちはことばを用いてコミュニケーションを行っている．「昨日シドニーに着きました」とか，「日本は『H2A』4 号機打ち上げに成功した」などといって情報を伝達する．このような例はことばがほぼ文字通りに理解される場合である．

　しかし，ことばの意味は常に文字通りに伝達されるわけではなく，文脈や聞き手・話し手の心の状態に応じて変化する．意味はことばそのものの中にあるようでいて，ことばそのものの中にはない．

　A: "Would you like a cup of coffee?"
　B: "It makes me awake."

この対話の場合，B が明朝早く仕事に出るという文脈では，「コーヒーはいらない」を意味するだろうし，B が明日の朝までに原稿を仕上げなければならないという文脈では，「コーヒーをいただこう」を意味するだろう．同じ発話でも文脈によって正反対の意味に理解される．

　本書は，このような人と人が行うコミュニケーションの発話の理解に焦点をあてる．発話の内容に関して，何が伝達されるのか，なぜそのような意味になるのか，どの部分が明示的に伝達され，どの部分が含意として非明示的に伝達されるのかといった側面である．この領域は，Grice によって先鞭がつけられたが，近年 Grice と Grice 派の分析方法の不備を明らかにし，新しい普遍的原則によって上記のような問題に答えようとする関連性理論が，有効かつ有望な分析方法として注目を集めている．関連性理論は，発話がいかに解釈されるかということに関する理論である．本書は，この理論によって明らかになった発話理解の諸側面を整理し，更なる発展の可能性を探ろうとするものである．

　第 1 章のイントロダクションでは，わかりやすく具体例を挙げながら，

本書の扱う言語事象の範囲を明確にし，すべての発話理解には関連性の原則が働き，発話は最適な関連性の見込みを伝達することを示す．

　第2章では，発話によって明示的に伝達される「表意」(explicature)と非明示的に伝達される「推意」(implicature)の区別を導入する．この考え方に基づくと，発話の表意は「言語的解読＋4つの語用論的プロセス(一義化＋飽和＋自由拡充＋アドホック概念形成)」によって形成され，意味論(言語的意味)と語用論(推論)の複合物であると見なされる．推意は表意形成と相互に作用しながら，純粋に文脈に基づく語用論的プロセス(推論)によって形成されることになる．

　第3章では，ことばにコード化された意味として命題内容に貢献する「概念的意味」と，その命題の処理方法に指示を与える「手続き的意味」の区別を導入し，真理条件的意味／非真理条件的意味という伝統的な区別はあまり大きな意味はなく，概念的意味と手続き的意味の区別の方が意味論により大きく貢献することを示す．

　第4章では，言語使用の「記述的用法」と「解釈的用法」の区別を導入する．この区別に照らし合わせると，修辞的言語や発話行為といった伝統的な語用論の範疇は，抜本的な再考を迫られる可能性がある．この考え方をアイロニー，メタファー，ジョーク，ユーモアなどに適用し，関連性理論の説明力を明らかにする．

　第5章では，上記のような関連性理論の基本的な考え方が，広告や翻訳など，より複雑な言語使用の分野にどのように適用されるかを具体的に提示し，関連性理論の更なる発展の可能性を探る．

　本書の執筆は，第1章，第2章，第3章を吉村あき子が担当し，第4章，第5章を東森勲が担当した．

　21世紀に入り，脳の働きとことばの関係や言語理論間のインターフェイスの問題に関心が高まっているが，この方面の研究を志す学徒にも本書が大いに役立つことを願っている．

　　　2002年12月

　　　　　　　　　　　　　　　　　　　　　　　　　編　　者

目　　次

まえがき　iii

第1章　イントロダクション──コミュニケーション能力と解釈原則 ─── 1
1.1　コミュニケーションを可能にするもの　1
　1.1.1　ことばとコミュニケーション　1
　1.1.2　言語とメタ表示能力　3
1.2　関連性理論の研究対象と基礎概念　6
　1.2.1　研　究　対　象　6
　1.2.2　発話解釈における効率性　9
　1.2.3　関連性理論の基礎　11
　1.2.4　発話解釈過程　20

第2章　表意と推意 ─── 23
2.1　発話によって伝達される2種類の意味　23
2.2　Grice (1967, 1975, 1989) の 'what is said' と 'what is implicated'　25
2.3　関連性理論の表意と推意　31
　2.3.1　表　　意　34
　2.3.2　推　　意　50
　2.3.3　表意と推意の相互作用と位置づけ　54

2.3.4　表意と推意の境界問題　57
2.4　ま　と　め　67

第3章　概念的コード化と手続き的コード化 —— 69
3.1　発話によって伝わる情報　69
    3.1.1　発話によって伝わることと意図明示的伝達　71
    3.1.2　言語的伝達と非言語的伝達　72
    3.1.3　言語的伝達とコード化　74
    3.1.4　概念的コード化と手続き的コード化　75
3.2　概念的コード化　78
    3.2.1　表意に貢献する概念的情報　78
    3.2.2　推意に貢献する概念的情報はあるか　83
3.3　手続き的コード化　85
    3.3.1　推意に関わる推論への制約　86
    3.3.2　表意同定に関わる推論への制約　95
3.4　単語の意味の可能性　99
3.5　ま　と　め　102

第4章　言語の記述的用法と解釈的用法 —— 103
4.1　は じ め に　103
4.2　ルース・トークに基づく伝達　107
    4.2.1　概念とルースな用法　110
    4.2.2　緩和表現の役割　113
4.3　解釈的類似性に基づく伝達　116
    4.3.1　言い換え表現の分析　117
    4.3.2　エコー疑問文の分析　120
    4.3.3　メタ言語的表現の分析: 疑似条件文　128

  4.3.4　メタ言語的表現の分析: メタ言語的否定　136
 4.4　伝統的レトリックの再分析　141
  4.4.1　メタファーの分析　143
  4.4.2　メトニミーの分析　154
  4.4.3　アイロニーの分析　159
  4.4.4　笑いの分析: ジョーク　166
  4.4.5　笑いの分析: ユーモア　170
  4.4.6　笑いの分析: パロディ　170
  4.4.7　笑いの分析: だじゃれ　171
  4.4.8　その他のレトリックの分析: ニックネーム　172
  4.4.9　その他のレトリックの分析: 同一表現の繰り返し　173
  4.4.10　その他のレトリックの分析: 控えめ表現（understatement）　173
  4.4.11　その他のレトリックの分析: トートロジー（tautology）　174

第5章　より複雑な言語使用の分野への応用────175

 5.1　広告の分析　175
 5.2　翻訳の分析　179
 5.3　丁寧さなど社会的要因の分析　183
  5.3.1　社会的想定について　184
  5.3.2　What are you looking at? を侮辱として解釈する場合　184
  5.3.3　交感関係の伝達と関連性　184
  5.3.4　ケーススタディ: but と丁寧さの分析　186
 5.4　言語障害の分析　187
 5.5　おわりに　190

参考文献　195
索　　引　211

第1章 イントロダクション
——コミュニケーション能力と解釈原則——

　人は，多くの場合「ことば」を用いてコミュニケーション(伝達行為)を行っている．ことばは，コミュニケーションにとって非常に重要な役割を果たしているが，実は必須のものではない．具体的なことばによるコミュニケーションの分析に入る前に，本章では，コミュニケーションにおいてことばが果たしている役割はどのようなものか，そもそも人がコミュニケーションをすることを可能にしているものは何かについて考察した後，関連性理論の基本的な考え方の導入的な概説をすることにしよう．

1.1　コミュニケーションを可能にするもの

1.1.1　ことばとコミュニケーション
　人が何かを相手に伝達するために発する言語の単位を「発話」(utterance)と言う．「発話」は「文」としばしば対照される．言語を文を単位として見るとき，文脈(context)は考慮外となるが，言語を話し手と聞き手を軸にする言語活動と見るとき，つまり発話を単位として見るとき，文脈の機能は大きい(荒木・安井編 1992, 1354)．人は次のような発話を用いて情報を伝達する．

（1）　昨日大学総長宅に泥棒が入ったんだって．
（2）　これおいしくない．

これらの例は，だいたい字義どおりの意味で解釈され，語の意味をつなぎ合わせた「言語的意味」と，話し手が伝達したいと思っている「話者の意

味/発話の意味」のギャップが少ない例であるが，このギャップが大きい場合も多く見られる．

　たとえば，親友に裏切られた太郎が，そのことを知っている別の友達に(3)と言うようなアイロニー発話の場合，言語的意味と，太郎が伝達しようとしている話者の意味には大きなギャップがある．

　（3）　あいつはいい友達だよ．

この場合，発話が何の働きをしているのかは大いに考察する余地はあるが，(1)，(2)と(3)のいずれの場合も，話者の意味を伝えようとするコミュニケーションにおいて，ことばが何らかの役割を果たしていることは事実である．

　しかし，ことばがなければコミュニケーションが成立しないかというと，そういうわけでもない．身振りや手振り・表情などで，伝えたいことを相手に伝達することも可能である．幼稚園の先生が，無邪気にはしゃぐ園児を前に話をしようとして，閉じた口の前に人差し指を当てると，園児は静かになる．この身振りは「静かにしましょう」を伝達し，私たちの文化ではすでに習慣化された身振りであることもあって，容易にその意図を理解できる．

　習慣になっていなくても，ことばを使わずに伝えたいことを伝達することもある．たとえば，次の状況を私たちが見ているとしよう．

　（4）　ある男Aが地面にあいた穴の中に，頭の方からゆっくりと入って行く．もう一方の男Bは，穴の外でAの足をしっかり捕まえている．　　　　　（Carston (1998, 33–34) から修正引用）

この状況を見ている私たちの大部分は，おそらくただ見ているだけではなく，「いったいこの2人は何をしているのだろう」と，その行動の意図を考える．「その穴の中には，そこまでして取り出す価値のあるものが入っていると，2人は思っているのだな」とか，「Aはそれを取り出そうと思って」いて，「Bは，自分が手を離すとAは穴に落ちて怪我をしてしまうと思っている」などと思いをめぐらす．そして，

（5） Aの足を捕まえているBが，私たちの方に視線を向け，顔をしかめて頭を激しく左右に振る．

　上記のようなBの行動を見たとき，おそらく私たちは，彼（B）は私たちに何かを伝達しようとしているのだと思い，それは「頼む，手を貸してくれ」のようなことだろうと推論（infer）する．このとき，この伝達行為はことばをまったく用いずに達成されている．この例が示していることは，少なくとも，ことばはコミュニケーションに必須のものではないということである．

　それでは，人のコミュニケーションを可能にしているもの，必須のものは何なのだろうか．一般に人は，何かを理解したり考えたり，あるいは何かを伝達しようとするとき，その意味(概念)内容を心に表示していると考えられる(表示主義：⇒1.2.3および第2章)．上記の例が示唆しているように，人は，他人の行動についてその意図は何だろうと推論する．その心を読もうとするのである．そして，人は何らかの意図についてそれが誰のものであるのか判断することができる．少し専門的な用語を用いると，人は，願望や信念・意図などの心的状態を表す(意味)表示を，自分以外の誰かのものであると判断する(他者に帰属させる（attribute）)「メタ表示能力」（metarepresentational ability）をもっているのである．

　それは1つのレベルに限らない．たとえば，摘んだばかりの野イチゴが食べられることを話者が聴者に知らせようとしている，と聴者が理解した場合，聴者は「「「この野イチゴは食べられる」ことを聴者に信じ」させようとしている意図が話者に」ある，と判断することができる．Sperber (1994) は，コミュニケーションを可能にするのは，このような「人の心を読む能力」（'mind-reading' capacity），つまりメタ表示能力であると主張する．それでは，ことばとメタ表示能力はどのような関係にあるのだろうか．

1.1.2　言語とメタ表示能力

　コウモリが音波探知のエキスパートであることが，その行動を理解する

のに重要なように，人がメタ表示のエキスパートであるという事実は，人の行動・振る舞いを理解するのに重要であると Sperber (2000) は言う．しかし一般的には，メタ表示能力よりも言語 (language) の方が，人のもっとも際立った特性だと理解されているように思われる．メタ表示の対象が，(5) のようにことばに基づくものではない場合もあるが，(6B) のように，ことばそのものである場合も多く，両者には明らかに何らかの結びつきがあるように思われる．その関係はどのようなものなのだろうか．

(6) A: きみ，高島礼子に似てるね．
　　 B: 「私が高島礼子に似てる」んじゃなくて，彼女が私に似てるのよ．

　メタ表示という考え方は，「心の理論」の研究を通して，認知科学の領域でよく知られるようになった．「心の理論」は，さまざまな領域がカプセルのようになって特定の機能を果たす（領域特定的 (domain specific) な），心的モジュール (mental module) を仮定している．Chomsky (1975, 1980) なども，心的メカニズムの領域特定性を仮定している．もし，言語とメタ表示に関して，それぞれに対応する心的メカニズムがあるという仮説を受け入れるならば，人類において，この2つが相互に影響しあいながら進化してきたと仮定するのは，道理にかなっている．いったい，どちらが先に進化したのだろうか．
　言語が先に進化したと仮定しよう．しかし，現代人が用いていることばに関する能力は完全にメタ表示的で，He believes that..., She wants to..., He regrets that... といったように，意図や信念を他者のものと判断する表現にあふれている．もし言語の方が先であったとすれば，当時の言語を用いる能力は，たとえば話し手が伝えたい意味内容を言語（記号）に変換（コード化）し，聞き手はそれを解読するといったもので，現代人のものと大きく異なっていたと考えられる．これは，その進化のある時点で，根本的な変化が起こったことを意味する．実際，コード化と解読ができるハチやサルのような動物が，過去にしろ未来にしろ，歴史のある時点で，他者の考えていることを推し量りメタ表示するようになると仮定する根拠

はない．したがって，言語が先だとすると，人がメタ表示能力を獲得したときの説明ができない．

　メタ表示能力が先に進化したと仮定しよう．知的動物が，他者の行動を信念や願望によって導かれた行為として解釈する能力は，非常に高度な予測能力を生み出す．他者の行動を予測することは，自分を守り，他者との競争に勝ち，利用し，協力するのに役立つ．メタ表示能力は，コミュニケーションそれ自体のためではなく，他者との競争や協力のために，人類の祖先において発達したと考えられ，コミュニケーションとは独立した適応形質だと見なすのが妥当である．先の (4), (5) の 2 人の男の例でも見たように，このメタ表示能力は，共通のコード(言語)がなくても推論的コミュニケーション (inferential communication) を可能にするが，もちろんコードを利用することもできる．

　たとえば，メアリーが野イチゴを指さして，ピーターに (7) と言うとしよう．

（7）　Mary [to Peter]:　Good.

この発話は，「この野イチゴは食べられる」という話者の意味をコード化していると言うにはほど遠く，メアリーの意図に証拠を提示しているにすぎないが，その意図をピーターに伝達することに成功している．基本的に，コードの信号は，推論的コミュニケーションが必要とする伝達者の情報意図の証拠を与えるにすぎないので，コード(言語)が多義的で，不完全で，文脈依存的であっても，推論的コミュニケーションを行うことができるのである．

　このようにメタ表示能力は，推論的コミュニケーションを，最初は副産物として可能にしたと考えられる．この副産物には利点があるので，メタ表示の機能の 1 つとなり，新しい適応形質として，言語能力の進化に好ましい環境を作り出したと考えられる．いったん言語能力が発達すれば，言語能力とメタ表示能力が，相互に高めあって進化してきたことは容易に想像できる．

　コミュニケーションを可能にするのになくてはならないものが，メタ表

示能力，言い換えれば人の心を読む能力，つまりある種の推論能力であると理解することは，コミュニケーションにおいて言語が果たす役割を捉える際に，重要な働きをする．先ほど，ことばがなくてもコミュニケーションは可能であると述べたが，もちろん限界は明らかに存在し，身振りや表情だけで言いたいことを伝えようとすると大変な労力を要し，正確に伝わらないことが多い．言語はやはり，伝達をうまく成功させるために重要なのであり，実際コミュニケーションの研究は，発話解釈を中心としてなされるのが普通である．

Sperber and Wilson (1986, 1995[2]) によって提案された関連性理論 (Relevance Theory) は，コミュニケーションの理論である．彼らは，ことば (発話) は聞き手の推論の出発点となり，その方向を導く働きをするものだと考える．先ほどのことばを用いない穴の例で，B が激しく頭を左右に振るという視覚的な刺激に基づいて B の意図を推論し始めたように，ことばを用いたコミュニケーションでは，発話という刺激に基づいて，話し手が何を伝達しようとしているのかについて推論を始めるのである．この視点は，発話解釈全体における言語的意味の貢献 (意味論の貢献) は，実際には非常に限られたもので，大きな役割を果たしているのは推論 (語用論) なのだという，新しい論題につながる (⇒ 2.3.1)．

この節では，コミュニケーションを可能にするのは，人の心を読む能力 (メタ表示能力 / ある種の推論能力) であることを見た．正確に言うと，他人の心を読むこと (推論すること) を可能にするのは，人がメタ表示能力をもっているからである．そしてことば (発話) は，話者の意図を理解するのにもっとも効率のいい証拠を提供し，推論の出発点となって推論解釈の方向を導く役割をすることを確認した．次節では，関連性理論の研究対象と基本的な概念，およびその考え方を見ることにしよう．

1.2 関連性理論の研究対象と基礎概念

1.2.1 研究対象

普通コミュニケーションというのは，何かを伝達するために刺激を発することによって行われる．伝達する側は，その刺激によって受け手の注意

を引き，何かを伝えたいと思っていることを受け手にはっきり示す．このように，何かを伝達しようとする意図をはっきり示した刺激(つまりはそのために相手の注意を引こうとする刺激)を，「意図明示的刺激」(ostensive stimulus) と呼び，このような刺激に基づいて行われるコミュニケーションを「意図明示的コミュニケーション」(ostensive communication) という．関連性理論は，この意図明示的伝達行為をその研究対象とし，解釈する側がどのようにして伝達者の伝えようとした内容を理解するのか，そのメカニズムの解明を目標とする．

そして，話し手の意図について，情報意図と伝達意図を区別する．「情報意図」(informative intention) とは，「...だと相手に思わせたい」という意図であり，「伝達意図」(communicative intention) とは，「そう思っていること(情報意図)を相手に伝えたい(伝達者と被伝達者相互に明白にしたい)」という意図である．意図明示的コミュニケーションは，この両方をもつものである．具体的な状況に当てはめて考えてみよう．

たとえば，キャロルが (8a)「遅くなったわね」と言い，(8b)「キャロルはもう家に帰る時間だということを意味している」と，彼女の意図したとおりジョンが解釈したとしよう．

(8) a. Carol says: 'It's late.'
 b. Carol means that it is time to go home.

(Sperber 1994, 185)

この場合のキャロルの情報意図は，「もう家に帰る時間だとジョンに思わせたい」という意図である．ここで言う意図とは，話し手が望んだ事態の心的表示であり，発話によって聞き手の心にある情報が表示されることである．つまり，聞き手の心にある情報が表示されることを望むような意図を「情報意図」と言う．上記のようなキャロルの意図は，(9) のように2つのレベルのかかわる1階 (first-order) のメタ表示として示すことができる．(改行は表示レベルが異なることを示す．)

(9) John should believe

that it is time to go home.   (*ibid*., 186)

そして,「もう家に帰る時間であると,私に思わせることを,彼女は意図している」というように,相手が情報意図をもっていると考えることは,(10)のように3つのレベルのかかわる2階のメタ表示として示すことができる.

(10)　She intends
　　　　　me to believe
　　　　　　　that it is time to go home.   (*ibid*.)

さらに,キャロルの伝達意図,つまりキャロルが情報意図をもっていることをジョンに知ってもらうことを意図することは,(11)のように4つのレベルのかかわる3階のメタ表示を心に抱くことである.

(11)　John should know
　　　　　that I (Carol) intend
　　　　　　　him (John) to believe
　　　　　　　　　that it is time to go home.   (*ibid*., 195)

そして,キャロルの伝達意図に気づいたジョンは,(12)のような5つのレベルのかかわる4階のメタ表示を心に抱くと考えられる.

(12)　Carol intends
　　　　　me (John) to know
　　　　　　　that she (Carol) intends
　　　　　　　　　me (John) to believe
　　　　　　　　　　　that it is time to go home.   (*ibid*.)

このように,人がコミュニケーション能力をもつということは,話し手の場合,(11)のような少なくとも3階のメタ表示を抱く能力をもつことを意味し,聞き手の場合は,そのような伝達意図が相手にあると判断する,つまり,(12)のような少なくとも4階のメタ表示を抱く能力をもつことを意味する.

まとめると，意図明示的刺激とは，上記のような情報意図と伝達意図の両方をもつものであり，関連性理論は，意図明示的刺激の解釈メカニズムを解明しようとする理論である．そして，意図明示的刺激の典型が発話であることから，関連性理論は発話解釈の理論とも言われる．

　本書の目的は，関連性理論の発展貢献に関する最新情報を紹介することである．それは第2章以下で詳細に述べることにして，この節では，それに必要な基本的な概念や考え方を，Sperber and Wilson (1995[2]), Sperber (1994) などに基づいて，具体例に沿って見てみよう．

1.2.2　発話解釈における効率性

　次の発話を考えてみよう．ピーターが夕食後しばらくして仕事の手を止め，コーヒーでも飲もうと思い，メアリーにも飲むかどうか尋ねたところ，「コーヒーを飲むと目がさえるのよ」という返事が返ってきた状況である．

(13)　Peter:　Would you like a cup of coffee?
　　　Mary:　It keeps me awake.

ピーターの質問に対するメアリーの返事 "It keeps me awake." は，メアリーが仕事で次の朝早起きしなければならない状況では，"No." を意味すると解釈される．このような解釈はあくまで推論によるものであるから，絶対に正しいというわけではないが，概して当たっている．

　この解釈過程を，関連性理論の趣旨に沿って，ごく大まかに説明してみよう．一般に話し手は，自分の意図することを理解してもらうのに，状況の許す限りもっとも効率のよい手がかりを発話し，自分の意図することを聞き手がうまく推論してくれるだろうと期待する．聞き手の方は，その発話がこの状況でもっとも適切なものに違いない，という信念に基づいて推論する．聞き手がそう信じるのにも，妥当な理由がある．もし，もっとも適切な発話を選択したのでなければ，話し手は，伝達したいことが正しく伝わらず，誤解されることになりかねないからである．この「もっとも効率のよい手がかり」，「もっとも適切な発話」というのは重要なポイントで，

話し手の意図を的確に推論するように聞き手を導く鍵はここにある．

　メアリーが「コーヒーはいらない」ことを伝えるには，"No." と答えるのがもっとも簡単でわかりやすい．しかし，それだけの情報しか伝達しない．それに対して，たとえば，翌朝のメアリーの仕事を忘れていると思われるピーターに，そのことを思い出させる意図をもってメアリーが "It keeps me awake." を発話した場合，この発話は「メアリーは明朝仕事で早起きをしなければならない」ことをピーターに思い出させ，そのためには「早く寝ないといけない」が，「メアリーはコーヒーを飲むと目がさえてしまう」から「今コーヒーはいらない」のだということを伝達する．「　」でくくった少なくとも4つのことを，"It keeps me awake." という1つの発話で伝達している．

　また，見方を変えれば，同じ情報量を伝達するのには，この4つのことをすべてことばにして言うこともできるが，"It keeps me awake." という1つの発話を処理するよりも，4つの発話を処理する方がずっと多くの労力が必要となり，効率が悪い．このようなメアリーの発話こそ，意図することを伝達するのに「もっとも効率のよい手がかり」に値するだろう．

　(13) のメアリーの答えは，一見質問とまったく関係のない答えをしているように思われる．しかし聞き手は，ナンセンスとして処理するのではなく，話し手がその意図を伝達するためにくれた「もっとも効率のよい手がかり」なのだという信念に基づいて，推論を開始する．聞き手に推論を続行させるのは，この信念である．そして適切な解釈が得られた時点で，推論をストップする．もう少し正確に言えば，「話し手が選択した発話が，その意図を伝達するのに『もっとも効率のよい手がかり』であることを，話し手は保証している」という信念があるから，聞き手は，余分な労力を使わずに最小の労力で，適切で十分な情報を得られるまで推論を続けられるのである．この「効率のよい」ことを関連性理論では，「関連性がある（高い）」(relevant) と言う (⇒ 1.2.3)．さて，おおざっぱな説明はこれくらいにして，これらを正確な概念に置き換えて，基本的な関連性理論の構成を見ていこう．

1.2.3 関連性理論の基礎
〈修正推論モデル〉

関連性理論は，コミュニケーションに関してこれまで提案された2つの競合するモデルのうちの，推論モデルを発展させたものと見なすことができる．1つはコードモデル（code model）と呼ばれる理論で，この理論においてコミュニケーションは，メッセージをコード化することと解読することによって達成される．つまり伝達者は，伝えようとする内容をすべて，英語や日本語のようなことばというコード（記号）に変換して受け手に渡し，受け手はそのコードを解読して，もとの意味を復元し，その内容を理解するという考え方である．この理論には，コミュニケーションにおいて実際には重要な働きをする，推論の貢献する余地が与えられていない．

もう1つの理論は，Grice (1975) によって提案された推論モデル（inference model）である．この理論では，コミュニケーションは証拠の生成と解釈を含んでいる．つまり，相手に何かを伝えようとして発する発話を証拠として，推論による解釈を行うということである．Sperber and Wilson (1986) は，ことばによるコミュニケーションは，聞き手が言語的意味の解読を証拠とし，その解読結果と文脈に基づいて推論を行うことによって，話者の意味を復元すると主張し，発話解釈における推論の果たす役割の大きさを強調しつつ，修正推論モデルとして関連性理論を提案している．

〈意図明示的刺激の処理装置〉

コミュニケーションにおける解釈者側の仕事は，意図明示的な刺激に気づき，それを受け入れるところから始まる．人の心（mind）は多様な特殊化された体系の集合で，大きく入力系（input system）と中央系（central system）の2つに分けられる．発話のような聴覚刺激や，頭を激しく振る行為などの視覚刺激のほか，さまざまな刺激は，それぞれの感覚の入力系から中央系に運ばれ，そこで処理を受ける．感覚器官が受け入れる刺激そのもの，たとえば視覚刺激（光）と聴覚刺激（音）が直接相互作用することは不可能なので，入力系は完全なモジュールをなしていると考えられる．関

連性理論は，人の心は，中央系も含め特殊な目的を遂行するモジュールからなる構造体をもつと仮定し，心の(少なくとも部分的な)モジュール性を認めている．

　しかし，解釈するとき(つまり中央系で計算処理をするとき)，私たちは多様な刺激を頭の中で相互作用させている．たとえば，ザーという音(聴覚刺激)を聞いて「雨が降っている」と思い，カーテンを開けて木の葉が強風にあおられていたこと(視覚刺激)がわかり，「雨が降っているのではない」のだと思う．このとき私たちは，聴覚刺激から得た解釈と視覚刺激から得た解釈を相互作用させている．これが示唆していることは，各入力系から運ばれた刺激は，中央系においては，何らかの共通する記号(心的言語)の表示 (representation) に変換された形になっているということである．関連性理論では，その表示を概念表示 (conceptual representation) と呼び，そこから非論理的特性を除いたものを論理形式 (logical form) と言う．他の概念表示と相互作用したり，発話処理の計算を受けるのは，この論理形式であると仮定する．

　中央系に入った刺激は，すでにそこに存在する文脈想定や記憶の百科事典的知識などに存在する想定とも，相互作用する．「想定」(assumption)とは，現実世界の表示として個人がもつ思考(要するに情報の単位)を意味するものである．「思考」(thought)とは，(感覚表示や情緒状態に対立する)概念表示を指す．この発想の基礎にあるのは，「現実世界の事実であると私たちが理解しているものはすべて，外部の物理的な状況が私たちの感覚器官を通して心に表示されたものである」という認知的な考え方である．そして人は皆，世界に関する顕在的な表示の集合である認知環境をもっている．「顕在的」(manifest) と「認知環境」(cognitive environment) は，次のように定義される．

(14) 　もし，ある個人が，ある時点で，ある事実を自分の頭の中に表示でき，かつその表示を真実である，またはおそらく真であるとして受け入れることができるならば，そしてそのときに限り，その事実は，その個人にとって，その時点で顕在的である．

(15)　ある個人の**認知環境**とは，その個人にとって顕在的な事実の集合である．　　　　　　　　　　　　　　(Sperber and Wilson 1995², 39)

そして，コミュニケーションにおける話し手の意図は，聞き手の認知環境を修正することである．認知環境は，想定を表示する論理形式の集合からなり，想定にはそれぞれ確信度が関係づけられている．論理形式を削除したり追加したり，あるいは確信度を変更するといったような形で，認知環境を修正することを「認知効果」(cognitive effect)と呼び，これは旧情報と新情報が相互に作用した結果生じる．この相互作用(つまり推論計算)は，中央系で行われる．この中央系の仕事は，聴覚や視覚，触覚あるいは他の入力系から中央系に運ばれた新しい論理形式を，すでに認知環境に含まれている想定の論理形式と比較することである．そのゴールは，認知環境が，互いに矛盾する2つの論理形式を含まないという意味で一貫性を維持しながら，もっとも信頼できる利用可能な想定の論理形式で認知環境を満たすことである．

Sperber and Wilson (1986, 1995²)が述べているように，聴者は最適な関連性を達成するように発話を処理する．「関連性」は，「認知効果」と，発話を処理する際に必要とされる「処理労力」(processing effort)によって決定される．他の条件が等しければ，その情報がもつ認知効果が大きければ大きいほど関連性があり，その情報を処理するのに必要とされる処理労力が多ければ多いほど，関連性の度合いが低くなる．

記憶などにすでに存在する想定の「アクセス可能性」(accessibility,「呼び出し可能性」とも呼ばれる)は，いろいろな要因に依存しているため，その程度はさまざまであるが，中央系の計算において，そのアクセスの難易は処理労力を反映するものとして重要である．想定を表す概念表示(論理形式)は，より小さな構成素からなっていると見なし，その構成素のことを「概念」(concept)と呼ぶ．したがって，想定は概念の構造化された集合体である．それぞれの概念は1つのラベルからなり，2つの補足的機能を遂行する．1つは，記憶におけるアドレスとしての役割で，情報が貯蔵され呼び出される場所の見出しとして機能する．2つ目は，論理形式の構

成素としての役割を果たすことである．

　概念アドレスは，百科事典的知識や語彙的情報へのアクセスポイントであり，処理されている発話の論理形式にある概念のアドレスが現れると，そのアドレスのもとに貯蔵されている情報にアクセス可能となる．また，中央系の記憶の中には，直前に処理された発話の解釈を作り上げるのに必要とされた想定の集合があり，次に処理する発話の直接文脈を構成するが，それよりいくつか前の発話に関わる想定は，一般的短期記憶に移されている．アクセス可能性に関して言うと，このような記憶を含む認知環境に，つい最近入った想定は，ずっと昔に入ったものよりもアクセスしやすい．また頻繁に処理される想定は，たまにしか処理されないものよりもアクセスしやすい，と言うことができる．

　ここで，このような情報処理システムの前提となっている考え方を，2つ確認しておこう．1つは，文脈の性格である．発話は，何らかの文脈において処理されなければ，話者の適切な意味は復元されない．そういう意味で，文脈は発話解釈過程において非常に重要な役割を果たす．文脈とは，最初から与えられているものではなく，解釈者が選択するものである．解釈者は，記憶の百科事典的知識などにアクセスして，関連性のある解釈を得るために必要な想定を呼び出し，解釈の文脈を必要に応じて拡大する．そして，そのような解釈の文脈は，認知環境を構成する想定集合の一部分に相当すると仮定される．

　もう1つは，発話処理過程に関わる推論規則である．推論の代表的なものに，演繹（deduction）と帰納（induction）がある．たとえば (16) のような演繹的推論では，前提が真であれば結論（帰結）も真になることを完全に保証するのに対して，(17) のような帰納的推論は必ずしもそうでない．

(16) 前提： すべての政治家はうそつきである．
　　　　　 ジョンは政治家である．
　　 結論： ジョンはうそつきである．
(17) 前提： スミス氏の書いた本はこれまで面白かった．
　　 結論： スミス氏の書いた次の本も面白いだろう．

一般的に，オンラインで行われる発話処理過程に関わる推論規則は，(18)–(20)のような演繹規則のうちの削除規則であると考えられる．PやQは命題（proposition）を表す．Inputは入力または前提と呼ばれるもので，Outputは出力または結論(帰結)と呼ばれる．

(18) 連言 (and) 除去: a. Input: (P and Q)　　b. Input: (P and Q)
　　　　　　　　　　　　Output: P　　　　　　　　Output: Q
(19) 肯定式: Input: (i) P
　　　　　　　(ii) (if P then Q)
　　　　Output: Q
(20) 否定式: a. Input: (i) (P or Q)　　b. Input: (i) (P or Q)
　　　　　　　　　　(ii) (not P)　　　　　　　　(ii) (not Q)
　　　　　　Output: Q　　　　　　　　　　Output: P

演繹規則のうち導入規則とは，たとえば次のようなものである．これがオンラインの発話処理過程に入ると，そのプロセスは止まらなくなる．

(21) 連言 (and) 導入: Input: (i) P
　　　　　　　　　　　　　(ii) Q
　　　　　　　　Output: (P and Q)
(22) 選言 (or) 導入: 　Input: P
　　　　　　　　Output: (P or Q)

すでに述べたように，コミュニケーションにおける話者の意図は，聴者の認知環境，すなわち世界の表示を修正することである．Sperber and Wilson (1986, 1995[2]) は，認知環境の修正方法は3つあると主張する．第一は，文脈含意（contextual implication）を加えること，第二は，既存の想定を強めること，第三は，既存の想定を削除することである．順に見ていこう．

① 文脈含意

聴者の認知環境を修正する最初の方法は，新情報と旧情報を組み合わせたものを前提として推論した結果，引き出された帰結を認知環境に加える

ことである．たとえば，聴者がすでに (23a) という想定を心の中にもっていて，その後で (23b) を知ったという状況を考えてみよう．聴者は，文脈含意の (23c) を加えることによって，認知環境を修正するだろう．

(23) a. If Bill came, the party was a success. （旧情報）
b. Bill came. （新情報）
c. The party was a success. （文脈含意）

② 既存の想定の強め

想定の強さはさまざまである．つまり，既存の想定に対して人がもっている証拠は，多いものもあれば少ないものもあり，それに対する確信度も，強いものもあれば弱いものもある．新しい情報は，このような想定の強さに影響を及ぼす可能性がある．認知環境を修正する第二の方法は，既存の想定に対してさらなる証拠や確信を与えることである．

たとえば，(24) のように，「ピーターとポールとメアリーが来たら，そのパーティは成功だった」という想定がすでに文脈に存在し，その3人がそのパーティに出席したことを知った場合，(26)「そのパーティは成功だった」という文脈含意が引き出される．その後，(25) のように，「そのパーティが遅く終わったのであれば，成功だった」という既存の想定と，「そのパーティは遅く終わった」という新情報によって，再び (26)「そのパーティは成功だった」が引き出されたような場合，この (26) はすでに記憶に存在するので書きとめられないが，強められる．(26) が (24) から受け継ぐ強さを S1，(25) から受け継ぐ強さを S2，(24) と (25) の結合から受け継ぐ強さを S3 とすると，S3 は S1, S2 のどちらよりも強いはずである．

(24) a. If Peter, Paul and Mary came to the party, it was a success.
b. Peter came to the party.
c. Paul came to the party.
d. Mary came to the party.
(25) a. If the party broke up late, it was a success.

b.　The party broke up late.
(26)　The party was a success.

ここで，新しい情報の (25b) は，既存の想定 (26) にさらなる確信を与えて，それを強めている．このように，新しい情報は，それが既存の想定を強めるいかなる文脈においても関連性をもつ．

③　既存の想定の削除
　新情報と旧情報が互いに矛盾するときには，そのうちの弱い方が削除される．もし弱い方が文脈に既存の想定(旧情報)であれば，それを捨てることは認知環境の修正になる．たとえば，A がロシア語の本をもって図書館から出てくるのを見て，B は次のような想定を形成するとしよう．

(27)　*A* knows Russian.

数日後パーティで，A が "I wish I knew Russian." と言うのを聞き，B は次のように理解する．

(28)　*A* does not know Russian.

ここでは，A 自身の言葉から派生された新しい想定 (28) の方が，これと矛盾する先に形成されていた想定 (27) よりも強く，それに取って代わることによって文脈が修正される．

　これらの例は，新情報が既存の想定からなる文脈と相互作用し，そこで関連性をもつ 3 つの方法を例証している．Sperber and Wilson (1986, 1995[2]) は，これら 3 つのタイプの相互作用をひとまとめにして「認知効果」と呼ぶ．新情報は，認知効果を生み出すいかなる文脈においても関連性がある．そして認知効果が大きければ大きいほど，その情報はよりいっそう関連性があるのである．
　発話は，心の入力系において論理形式を付与される．論理形式は，構造を与えられた概念の連鎖である．中央系では，発話の論理形式の関連性が最適なものになるように，推論計算を受ける．有限の処理資源で最適な関

連性を達成することを目指す人は，可能な限り最善の方法で表示され，可能な限り最善の文脈で処理されたときに，必要とされた処理労力の見返りとして，可能な限り最大の文脈効果を生み出すと思われる現象に注意を払うべきである．

〈関連性の原則〉

上記のような考え方から Sperber and Wilson (1995², 260–270) は，次のような2つの関連性の原則を提案する．

(29) 〈関連性の認知原則〉(Cognitive Principle of Relevance)：人間の認知は，関連性の最大化と連動するように働く傾向がある．

(30) 〈関連性の伝達原則〉(Communicative Principle of Relevance)：すべての意図明示的伝達行為は，それ自体の最適な関連性の見込みを伝達する．

(31) 〈最適な関連性の見込み〉(Presumption of Optimal Relevance)：
(a) 意図明示的刺激は，受け手がそれを処理する労力に見合うだけの関連性がある．
(b) 意図明示的刺激は，伝達者の能力と優先事項に合致するものの中で，もっとも関連性のあるものである．

関連性というのは，認知過程への入力の特性である．認知過程への入力は，人間の外部にあることも内部にあることもある．たとえば，知覚過程の入力である外部刺激(たとえば発話)の特性の場合もあれば，推論過程の入力となる記憶の中にすでに存在する，想定の特性でもありうる．(29) の関連性の認知原則が述べているのは，人の認知資源は，外的なものでも内的なものでも，利用可能な入力の中でもっとも関連性のあるものの処理に当てられる傾向がある，ということである．

(30) の「すべての意図明示的伝達行為は，それ自体の最適な関連性の見込みを伝達する」という伝達原則については，これまで繰り返しその趣旨をごく大まかに述べてきた．ここで確認しておきたいのは，これは守られるべき規則ではなく，すべての意図明示的刺激に関する(例外のない)記述であるということである．そして，意図明示的刺激のもつ関連性の程度

に関する 2 つの条件が，(31) の 2 つの項目に反映されている．

　(31a) の「意図明示的刺激は，受け手がそれを処理する労力に見合うだけの関連性がある」は，刺激によって受け手が得る認知効果の，下限を保証している．これを伝達者が保証しなければ，受け手はその刺激に十分な注意を払ってくれず，コミュニケーションが失敗することになる．これによって関連性の程度の下限が決まる．(31a) が本質的に述べているのは，受け手が得られる認知効果の程度は十分である，ということである．

　(31b) の「意図明示的刺激は，伝達者の能力と優先事項に合致するものの中で，もっとも関連性のあるものである」というのは，受け手が必要とするのは最小の労力であるという見込みに関して，少々注意が必要であることを述べている．伝達者が，受け手の労力が最小になると思って発した刺激(発話)が，受け手にとってはそうではない場合が実際にはありうるからである．

　たとえば，自分の言いたいこと(思考)を表すのに，もっとも適切なことばが見つからなくて困ることがあるように，伝達者がそのときたまたま，最小労力の刺激を思いつくことができない場合がある．さらに，人が頭の中にもっている認知環境や文脈は，厳密に言うと，人それぞれで異なっている．伝達者は，受け手の認知環境や文脈にある想定を推測し，それに基づいて相手はこのように推論してくれるだろうと期待して，刺激(発話)を発する．もし伝達者が，受け手の文脈にある想定を推測し間違えたら，たとえ伝達者がもっとも関連性のある刺激だと思って発話しても，聞き手にとってはそうではないだろう．伝達者は，自分の知識や能力で可能な範囲以上に関連性のある情報は，提供できない．このように，伝達者の意図明示的刺激の選択は，(不可抗力の場合も含め)伝達者の能力によって制限を受けるのである．

　さらに伝達者が発する刺激は，伝達者の好みによる優先事項（preference）にも制限される．受け手がもっとも処理しやすい刺激であるとわかっていても，伝達者が好ましくない述べ方だと思うものは，選択しない可能性がある．あるいは，受け手にとって最小労力の刺激であるとわかっていても，伝わってほしくない余計な推意が伝達される可能性がある場合

も，伝達者は慎重になってその刺激を選択しない可能性がある．このように刺激の選択は，伝達者の好みによる優先事項にも制限されるのである．

つまり (31b) の労力条項が述べていることは，情報意図を同じように伝達することができ，(労力を最小にしたいという伝達者の願いと，自分の慎重さや道徳観などの好みによる優先事項の両方を考慮したうえで)伝達者が容認できる一連の可能な刺激の中で，受け手の労力を最小にするような刺激を伝達者は選ぶべきであり，また選んでいるように見えるべきであるということである．

1.2.4　発話解釈過程

これまで話をわかりやすくするために，基本的で単純な例を考えてきた．ここでは，発話解釈過程に関して，現実に生じるもう少し複雑な場合を見ておこう．

(30) の伝達原則が述べているように，すべての意図明示的伝達行為は，それ自体の最適な関連性の見込みを伝達する．発話の場合，聞き手は，話し手が選択した発話は処理する労力に見合う情報であり(見込み (31a))，その発話は，伝達者の能力と優先事項に合致する刺激の選択範囲の中で，もっとも処理労力の少ないものである(見込み (31b))，という見込みに基づいて推論を開始する．その過程は，解釈仮説 (interpretive hypothesis) を立てながらその関連性を検証していく，というものであろう．労力がもっとも少なくてすむ解釈仮説の検証から始め，労力に見合うだけの関連性がある解釈仮説に行き当たったところで，ストップする．ストップしたその解釈が，話し手の意図した解釈だと聞き手は判断する．しかしこれは，話し手が相手をだまそうなどという気のまったくない善意の人で，かつ，聞き手の認知環境および文脈を正しく認識する能力をもっている人の場合である．

現実には，Sperber (1994) が述べているように，話し手は常にそれほど有能だとは限らない．たとえば，キャロルとジョンが夕食後くつろいでいるとしよう．ジョンは，その日到着するはずだった宅配便が到着しなかったので，少しそのことを心配している．しかしキャロルは，そのこと

をまったく知らない．キャロルが「子どもを寝かしつける時間だ」ということを伝達しようとして，ジョンに (32) と言ったとしよう．

(32)　Carol:　It's late.

このとき，キャロルの発話 "It's late." についてジョンが最初に思い当たる関連性のある解釈は，「宅配便が遅い」になる可能性がある．最小の労力で最初に得られた関連性の原則に合致する解釈が意図された解釈である，という解釈過程を無条件にとるのであれば，ジョンはこの解釈を誤って受け入れてしまうことになる．

　一方，話し手は善意の人であるが必ずしも有能ではないと聞き手が考えている場合，つまり，話し手は，聞き手をだまそうなどとは思っていないが，聞き手がどのような考えを抱いているかが読めず，話し手としてはもっとも関連性のある発話を選んだつもりが，聞き手にとってはそうなっていない可能性があると考えている場合，聞き手は，やはり先の場合と同様，最小労力の道を進む．しかし，十分な関連性がある最初の解釈でストップするのではなく，聞き手にとって十分な関連性があると「話し手が考えたであろう」と思われる最初の解釈で，ストップする．

　このとき，聞き手は可能性のある解釈に行き当たるたびに，評価テストをする．この解釈が私の心に浮かぶことを話し手は予期していたと思っていいだろうか？　私にとってこの解釈は十分な関連性があると話し手は予測したのだろうか？　この2つのテストの答えが両方とも Yes である場合のみ，この解釈が保持され，そうでなければ，次にアクセスしやすい解釈が同じようにテストされる．上記 (32) の例の場合，ジョンは「宅配便のことを私が心配していることを，キャロルは知らない」と考え，先の「宅配便が遅い」の解釈を捨てて，最小労力の道をたどりながら次の可能な解釈へと進み，「子どもを寝かしつける時間だ」という解釈に至る．この解釈は2つのテストに合格し，保持されるのである．

　このような解釈過程は，それでも相手の善意を信じている場合であった．話し手が善意の人であるとも，発話の選択において有能であるとも思われず，それでもその発話が聞き手にとって関連性があると見えるように

話し手が意図していると思われる場合についても，聞き手の解釈過程は，やはり最小労力の道をとる．そして，その解釈仮説の検証をストップするのは，十分関連性がある最初の解釈でもなければ，聞き手にとって十分関連性があると「話し手が考えたであろう」と思われる最初の解釈でもなく，聞き手にとって十分関連性があるように「「見える」だろうと話し手が思ったと推察できる」解釈である．

　この節では，現実に起こりうる少々複雑な解釈過程を，簡潔に概観した．人は特別な理由がない限り，最初から話し手の善意や能力を疑ってかかってはいないと思われる．話し手の善意と能力を信じてうまくコミュニケーションが行われる場合は，多い．ただ何かがきっかけになって，聞き手の側においてその前提に疑問が生じたとき，上記のような解釈過程がとられると考えられる．この疑問が生じる余地は，(31)の「最適な関連性の見込み(b)」に包摂されている．そしてどの場合においても，それらが意図明示的伝達行為である限り，関連性の認知原則と伝達原則が働き，それに基づいて最小労力の道をたどって聞き手は解釈するのである．

　以上，本章では，コミュニケーションの本質とことばの関係，関連性理論が採用している心の構造に関する考え方，その研究対象領域，基礎概念，解釈装置，解釈過程などについて簡潔に概観した．以下，第2章では，発話によって伝達される明示的意味と非明示的意味の区別，第3章では概念的意味と手続き的意味，第4章では言語使用の記述的側面と解釈的側面，第5章では関連性理論のさらなる応用について，最新の動向を見ることにしよう．

第 2 章　表 意 と 推 意

　発話によって伝達される意味には，大きく分けて 2 種類ある．明示的な意味と非明示的な意味(含意)である．本章では，Grice (1967, 1975) の 'what is said' と 'what is implicated' の区別と，関連性理論の表意（explicature）と推意（implicature）の区別を概観し，発話の認知処理という視点からその派生過程や特徴を検討しよう．

2.1　発話によって伝達される 2 種類の意味

　明示的意味と非明示的意味に関して，先のコーヒーの例 (= 1.2.2 (13)) を再考しよう．

（ 1 ）　Peter:　Would you like a cup of coffee?
　　　　Mary:　It keeps me awake.

メアリーの "It keeps me awake." という発話によって，明示的に伝達されている意味は，概略 "Coffee keeps Mary awake."（「コーヒーを飲むとメアリーは目が冴える」）というようなものだろう．そして，ピーターの質問の答えに相当する「今コーヒーはいらない」は，一般に含意であると見なされる．
　ことばによるコミュニケーションの明示的 / 非明示的 (explicit / implicit) 側面の区別の出発点は，意味論と語用論の区別であった．これまで，意味論は明示的内容を与え，それ以外の発話の意味，つまり語用論的に派生される残りのものが，その発話の非明示的な意味であると言われてきた．その精神は，Gazdar (1979) が示した定式「語用論 = 意味 − 真理条件」に

も，真理条件は意味論が与えるものであるという考え方とともに表れている．真理条件とは，当該言語の整式 (well-formed formula, 完全な文形式をもつもの) が真となるために満たさなければならない条件のことを言う (荒木・安井編 1992, 1527)．関連性理論において，この意味論と語用論の区別は，言語的意味の「解読」と，文脈と相互作用する「推論」の区別と一致する．関連性理論による最大の貢献の1つは，この意味論 (= 解読) / 語用論 (= 推論) の区別と，発話の明示的 / 非明示的側面の区別に，相関関係がないことを明らかにしたことである．

第3章で見るように，単語の意味としてコード化されているものの中には，発話の明示的意味 (発話によって伝達される命題内容) に貢献するのではなく，非明示的内容に制限を課すものもある．また，本章で明らかにするように，明示的内容は純粋に意味論的解読だけでは得られない．推論 (つまり語用論) が明示的内容に大きく貢献しているのである．

発話によって伝達されるこのような明示的 / 非明示的な2つのタイプの意味を，'what is said' と 'what is implicated' という表現を用いて最初に明確に区別したのは Grice (1967, 1975, 1989) である．その区別は一見単純に見えるが，実はそれほど簡単なことではなく，意味論と語用論の区別，真理条件的意味と非真理条件的意味の区別とも関わって，これまで多くの議論がなされてきた歴史がある．本章では，発話の明示的意味と非明示的意味に焦点をあて，関連性理論がそれらをどのように区別し，私たちの心 (頭?) の中において，それらがどのようにして派生されるのかをたどってゆく．

以下では，その出発点になった Grice (1975, 1989) の 'what is said' と 'what is implicated' の区別を簡潔に紹介し，その境界をどこに置いていたかを確認する．その後，関連性理論において，その不備や矛盾を解消するかたちで発展した表意と推意の概念，その区別，派生過程，意味論 / 語用論や真理条件的意味 / 非真理条件的意味との関係を見ることにしよう．

2.2 Grice (1967, 1975, 1989) の 'what is said' と 'what is implicated'

　Grice (1967) の William James Lecture およびその一部を出版した Grice (1975, 1989) は，もともと論理記号の 〜, ∧, ∨, ⊃, ∀, ∃ などと，それに相当する自然言語の not, and, or, if, all, some との間に存在する意味上のずれを，会話の含意 (conversational implicature) という概念を導入して説明しようとしたものである．しかし後にこの論考は，発話の表面上の「字義どおり」の意味以外の意味がどのようにして伝えられるのかに関する研究の，出発点と見なされるようになった．以下，Grice の考え方を簡潔に見ていこう．

　Grice は，正常な会話は一般に共同行為であり，話し手と聞き手はそこに一定の目的や方向性を認めているものだと考える．それは，明確であることもそうでないことも，途中で変わっていくこともあるが，会話の各段階・時点においては方向性や目的があり，ある種の動きは不適当なものとされる．そして，会話の各段階において，次のような「協調の原則」(Cooperative Principle) が働いていると考える．

（2）　協調の原則: 会話における自分の貢献を，それが生じる時点において，自分が参加している話のやりとりの中で合意されている目的や方向性から要求されるようなものにせよ．

(今井 2001, 190 (今井訳))

その具体的な行動規準は，次の4つの格率 (maxim) にまとめられる．

（3）　1. 量の格率 (maxim of quantity)
　　　　　a. (その時点での目的に)必要なだけ十分な情報を与えること．
　　　　　b. 必要以上の情報を与えないこと．
　　　2. 質の格率 (maxim of quality)
　　　　　a. 偽と信じることは言わないこと．
　　　　　b. 十分な証拠のないことは言わないこと．

3. 関係の格率 (maxim of relation)
   関連のあることを言うこと (Be relevant).
4. 様態の格率 (maxim of manner)
   a. わかりにくい表現を避けること.
   b. 曖昧さを避けること.
   c. 不必要に余計なことを言わず,簡潔な言い方をすること.
   d. 順序よく,整然と提示すること.

(Grice (1975, 1989) から修正引用)

そして,発話の意味に関して Grice がもっていた考えは,次のように図示できる.主なものに簡単な説明を加えておこう.

(4)　　　　　　　　(a) 発話の全意味内容
　　　　　　　total content (signification) of an utterance

(b) 言われていること　　　　　　(c) 含意されていること
　　what is said　　　　　　　　　what is implicated

　　　　　　　　　　(d) 言語慣習含意　　　　　(e) 非言語慣習含意
　　　　　　　　　　what is conventionally　　what is non-conventionally
　　　　　　　　　　implicated　　　　　　　　implicated

(f) 会話的に含意されていること　(g) 非会話的に含意されていること
　　(会話の含意)　　　　　　　　　what is non-conversationally
　　what is conversationally　　　implicated
　　implicated

(h) 一般的会話の含意　(i) 特殊化された会話の含意　(j) 感覚的,社会的,道
　　generalized　　　　particularized　　　　　　徳的性格をもつもの
　　conversational　　conversational　　　　　　aesthetic, social or
　　implicature　　　　implicature　　　　　　　　moral in character

(太田 (1980, 181) から修正引用)

Grice (1975, 1989) において，(4b)「言われていること」は，基本的に，コード化された意味(単語の意味)の解読とそれに伴う指示付与 (reference assignment) と一義化 (disambiguation) をすることによって得られるもので，真理値(世界に照らして真か偽か)を付与できるところまで最小限の語用論的貢献を許した，最小命題 (minimal proposition) に相当する．たとえば，ある状況で発話された (5) の場合，各単語のコード化された意味を解読し，the girl が実際には誰を指すのかを指定し (=指示付与．指標 i は特定の個人が指定されていることを表す)，the bank が「土手」なのか「銀行」なのかを選択(一義化)して，言われていること (what is said) (5′) を得る．(5′) は一応，命題の形式をもっており，真理値を付与することができる最小命題である．

（5）　The girl ran to the bank.
（5′）　The girl$_i$ ran to the bank.

(4c) の「含意されていること」は，(4d)「言語慣習含意」と (4e)「非言語慣習含意」に分けられる．「言語慣習含意」とは，単語の意味としてコード化されているが，真理条件に関与しないものを言う．たとえば，(6) の発話によって意味されていることは，(6′a–c) に示した3つのことであるが，(6′a) と (6′b) は 'what is said' であるが，(6′c) はそうではないと Grice は言う．(6) の真理条件は，(6′a, b) によって決まり，(6′c) は関与しないからである．

（6）　He is an Englishman; he is, therefore, brave.
　　　　　　　　　　　　　　　　　　　　　(Grice 1989, 25)
（6′）　a.　He (John) is an Englishman.
　　　　b.　John is brave.
　　　　c.　(b) is a natural conclusion of (a).

(4e)「非言語慣習含意」の考察は主に，(4f)「会話の含意」に焦点が当てられ，会話の含意は (4h)「一般的会話の含意」と (4i)「特殊化された会話の含意」に分けられる．

(4h)「一般的会話の含意」は，発話にある種の表現が用いられるときに，（文脈に関係なく）通例その表現に伴われる含意，として特徴づけられる．(7a) の and を伴う発話は，普通この順序に2つの出来事が起こったと理解される．つまり (7b) に示したように，and then の解釈をしている．これは「順序よく提示すること」という様態の格率 (3 (4d)) から生じると考えられる．

（7） a. He took off his trousers and he got into bed.
(Grice 1989, 186)
b. He took off his trousers and *then* he got into bed.

一般に，2つの出来事 A と B が and で連結された "A and B" という発話がなされると，A の次に B が起こったと理解される．このような and に伴われる then のような意味を，Grice は「一般的会話の含意」と呼んだ．

同様に，尺度表現の some は，通例 not all を一般的会話の含意として伝達する．これは (3 (1a)) の量の格率によると考えられる．たとえば，(8a) の一般的会話の含意は，(8b) である．

（8） a. Some of the arrows hit the target. (Horn 1972)
b. *Not all* of the arrows hit the target.

(4i)「特殊化された会話の含意」は，(4h) の「一般的会話の含意」とは異なり，特定の文脈においてのみ生じる含意である．したがって，同じ発話でも，別の文脈で用いられるとその含意は生じない．たとえば (9) のような文脈において，B の発話は "He has a girlfriend in New York." を含意する．

（9） A: Smith doesn't seem to have a girlfriend these days.
B: He has been paying a lot of visits to New York lately.
(→ He has a girlfriend in New York.)

しかし，この含意は，この文脈においてのみ生じるものである．たとえば，スミス夫妻が，仕事のためにアメリカ東海岸のニューヨークと西海岸のロ

サンゼルスに別居して暮らすようになって，離婚の危機がうわさされているような状況での (10) のような会話を考えてみよう．

(10) A: Has Smith given up repairing their relationship?
B: He has been paying a lot of visits to New York lately.
(→ He has been making efforts to do so.)

(10A) の質問の返答として，(9B) と同じ発話 (10B) がなされたような場合は，(9) の含意ではなく，"He has been making efforts to do so." のような含意が引き出される．これらの含意は，それぞれの文脈でのみ生じる文脈固有の含意である．このような含意を，Grice は「特殊化された会話の含意」と呼ぶ．一般に，p を言って q を含意している場合，q が会話の含意であるというのは，(a) 話し手が協調の原則にしたがっていて，(b) p を発話した話し手が協調の原則を守っているためには q が必要であることを話し手が知っており，(c) q が必要であることを聞き手が推論できると話し手は考えている，ということが成立する場合である．

以上，発話の意味に関して Grice がもっていた考えを，(4) に基づいて見てきた．Grice (1967, 1975) には，発話の意味するものの中でも特に会話の含意に関して，その後の研究の重要な出発点となる洞察が含まれている．(7)–(10) で扱った含意の派生で見たように，Grice の基本的な考え方では，発話の意味は，言われていること (what is said) がまず意味論的解読によって決定され，それをもとに推論がはたらき，語用論的に会話の含意が引き出されるという過程をとると仮定されている．しかし，基本的に，解読された意味 (意味論) が明示的意味を与え，語用論的に派生されるものは含意 (非明示的意味) であるという考え方を維持する限り，Levinson (1988) も認める Grice's circle に陥る．Grice's circle とは，言われていることが含意 (implicature) を決定し，また逆にそれによって決定される，という循環論のことである．

次の例を見てみよう．(11a) は，前半で「彼は犬ならどんな犬でも大好きだ (見境いのない犬愛好者)」と述べているので，後半は普通 (11b) だと解釈される．つまり，some は (11c) のように [cats and dogs] を修飾

しているのではなく，(11b) のように [cats] だけを修飾していると理解する．それは (11c) の解釈の場合，(11′b) に示したように，some がもつ一般的会話の含意 not all が dogs にもかかると，前半部分と矛盾するからである．not all という会話の含意が some の作用域を選択決定し(一義化)，明示的意味が決められている．言われていることが先に決定され，それに基づいて含意が推論されるという，上で仮定されていたことの逆が起こっていることになる．

(11) a. He's an indiscriminate dog-lover; he likes some cats and dogs.
b. He likes [[some cats] and dogs].
c. He likes [some [cats and dogs]].　(Carston 1998, 68)
(11′) a. He likes some-but-not-all cats.
b. He likes some-but-not-all [cats and dogs].

また，(12) の明示的意味も，and に伴われる時間的経過を表す一般的会話の含意 (and *then*) によって，決定されている．この時間的経過を含む解釈をとらなければ，(12) は矛盾した意味になる．

(12) Driving home and drinking three beers is better than drinking three beers and driving home.
(12′) Driving home and *then* drinking three beers is better than drinking three beers and *then* driving home.

発話の意味にはどのような側面があり，それらがどのようにして派生されるかについて，初めて原理的な説明を与えようとしたという点で，Grice の功績が大きいことは疑いない．しかし，彼の明示的/非明示的意味の区別の仕方は，上記のような，明示的意味に基づいて非明示的意味が決定され，また非明示的意味に基づいて明示的意味が決定される，というような循環論 (Grice's circle) の問題を抱えることになる．一方，意味論の仕事を解読，語用論の仕事を推論と見なし，明示的意味は意味論によってのみ与えられるのではないと考える関連性理論では，このような問題はまった

く生じない．次節では，関連性理論における明示的意味(表意)と非明示的意味(推意)に関する考え方を見ていこう．

2.3　関連性理論の表意と推意

　関連性理論において，発話によって伝達される想定は，表意（explicature）と推意（implicature）の2つに分けられる．これらは，それぞれ発話の明示的意味と非明示的意味に相当する．explicature という用語は，implicature に対するものとして関連性理論において作られたものである．implicature は Grice の造語であり，これまで「（会話の）含意」という日本語を用いてきたが，関連性理論で用いられる implicature とはその性格が異なるため，Grice の意味での implicature にはこれまでどおり「（会話の）含意」という日本語を用い，関連性理論での implicature には「推意」，explicature には「表意」という日本語を用いることにする．Sperber and Wilson (1986, 1995^2) は表意と推意を次のように定義する．

(13)　発話 U によって伝達（communicate）される想定は，それが U によってコード化された論理形式の発展（development）であるならば，そしてそのときに限り，明示的（explicit［すなわち表意（explicature)]）である．

(14)　発話 U によって伝達された想定であるが明示的でないものは，非明示的（implicit［したがって推意（implicature)]）である．
(Sperber and Wilson 1995^2, 182;［　］内は Carston 1998, 86)

　「想定 A を伝達するということは，A を顕在化しよう，あるいはより顕在的にしようとする話し手の意図を，話し手と聞き手の相互に顕在化することである」(Sperber and Wilson 1995^2)．「伝達された想定」（communicated assumption) とは，「（さまざまな可能性の中から）聞き手が取り上げてくれるように話し手が意図していることを話し手が明らかにした想定を意味する」(Carston 1998, 86)．要するに，伝達された想定とは，話し手が聞き手に伝えようとしている意思をはっきり示した想定のことである．

表意と推意の区別は，発話によって伝達される想定にのみ適用される．そして，Carston によると，表意の形成には，言語的意味の解読だけでなく，「一義化」（disambiguation），「飽和」（saturation），「自由拡充」（free enrichment），「アドホック概念形成」（ad hoc concept construction）という4つの語用論的プロセスが関わる．

　これらの細かな部分は後述するとして，発話解釈の大まかなプロセスを理解するために，次のような具体例を考えてみよう．（15）の A に対する B の発話は，（16a）のような表意と，（16b）のような推意を伝達すると考えられる．

(15) A: How is Mary feeling after her first year at university?
    B: She didn't get enough units and can't continue.
(16) a. Mary Jones didn't get enough university course units to qualify for second year study and, as a result, Mary cannot continue with university study.（表意）
    b. Mary Jones is not feeling at all happy about this.（推意）
                                            (Carston 1988, 155)

（15B）の解釈過程は，音の刺激としてコード化された言語的意味の解読から始まる．その表意は次のように形成される．まず，（15B）の発話が音の刺激として聞き手Aの心の入力系に入り，言語解析装置で解読されて（17）のような論理形式を付与され，中央系に入る．これは，X (she) が誰のことを指すのか未決定で，何を continue するのかも明示されていないなど，まだ十分な命題形式をもたず，真理値を付与できるレベルではない．

(17) X (she) didn't get enough units and can't continue.
    （発話の論理形式：発話解釈の第1レベル）

この発話の論理形式から語用論的手段によって，（18）に示したような「命題形式」（propositional form）まで発展される．その過程は，概略次のようなものである．

　発話から解読されたばかりの論理形式（17）の X (she) には，she に

コード化されている情報と文脈から，推論によって Mary Jones という指示対象が付与される(指示付与＝「飽和」の一種: ⇒ 2.3.1). unit は，その意味する可能性のあるものの中から，この文脈では「大学で履修する単位」を意味するものとして「一義化」される．さらに，enough が必要とする to qualify for second year study や，continue が必要とする with university study のような要素が補充され(「飽和」)，推論によって as a result が「自由拡充」される．その結果，(18)のような命題形式が形成される．

　この例の場合，この命題形式によって表示された想定，すなわち，この発話によって表現された命題(「表出命題」(proposition expressed))が表意であると見なされる．このように，発話によって明示的に伝達される意味は，言語的意味の解読と語用論的推論によって復元(recover)されるのである．

(18)　Mary Jones didn't get enough university course units to qualify for second year study and, as a result, Mary cannot continue with university study.　(＝(16a))
　　　(表意：発話解釈の第 2 レベル)

そして，この発話は，(15A)の質問に対する返答として機能する(19)のような推意を引き出して，関連性を達成する．

(19)　Mary Jones is not feeling at all happy about this.　(＝(16b))
　　　(推意：発話解釈の第 3 レベル)

　一般的に言えば，表意は，実際に話し手の口から発せられたことば(発話)に肉付けして発展拡充したもので，意味論的解読と語用論的推論の両方が関わるのに対して，推意は，発話そのものを発展させたものではなく，その派生は推論によってのみなされるものである．

　発話解釈過程のだいたいのイメージが得られたので，以下，発話によって伝達される表意と推意について，その特徴や性格，派生過程などを，順を追って詳述しよう．

2.3.1 表　意
〈表意に貢献する4つの語用論的手段〉
　Sperber and Wilson（1995²）では，表意形成に関わる語用論的プロセスは，一義化，指示付与，拡充の3つであると仮定されていた．それ以降修正の方向が示唆され，Carston（1998, 2000b）に至って，一義化，飽和，自由拡充，アドホック概念形成の4つに再編成されている．以下，表意形成に関わるこの4つの語用論的プロセスについて概観しよう．

① 　一義化
　発話に用いられた言語形式が，複数の語義をもっている場合，発話の関連性を達成する過程で，語用論的にその語義が1つ選択され決定される．これを一義化（disambiguation）と言う．
　具体的に次のような状況を考えてみよう．ある家族が河畔にやってきた．子どもたちは大はしゃぎで，カヌーを借りて川を下ろうと相談している．母親は，ランチに現金を使い切ってしまったことに気づいて，(20)を言う．

　　(20)　If the kids want to go on the river, I'll have to nip to the bank.
　　　　　　　　　　　　　　　　　　　　　　（Carston 2000b, 18）

ここで焦点になるのは，もちろん /bank/ である．たとえば，この形式をもつ語彙項目が両方とも活性化され，それぞれによってコード化された概念（「土手」と「銀行」）が，その発話の表出命題の一部がとりうる候補として，両方とも言語解析装置から理解モジュールに運ばれるとしよう．このとき，「銀行」の意味が即座に選択される（一義化）．というのは，「彼らは現在，川の土手に立っている」ので，「川の土手に急いで行く」ことから認知効果は得られないことや，「子どもたちはカヌーを借りたがっている」が，「カヌーを借りるためには現金が必要」で，「現金は銀行で得られる」といったアクセス可能な文脈想定があるからである．
　Grice（1975）は，'what is said' を同定するために一義化が必要であることにふれていたが，彼の会話の原則がその過程に関わるとは考えていな

かった．関連性理論では，推意を生み出すのに働いている関連性の原則が，どの表現が発話されたのかを決定する際にも働いていると考える．

② 飽　和

「飽和」(saturation) とは，もともと Recanati (1993) をはじめとする意味論学者の間で用いられていた用語で，真偽判定可能な明示的意味を完成するために，発話に使用されている言語形式が要求する値(スロット)を，文脈から補うことを言う．その文脈的決定は文法によって引き起こされるものであり，文そのものが文脈によって満たされるべきスロットを立てるのだと考える．

たとえば，(21) に示した she などの代名詞や that などの指示詞のような，文脈や話し手の意図を考慮してその値を決定しなければならない場合が，飽和に含まれる．これらは，Sperber and Wilson (1995[2]) の用語では，「指示付与」(reference assignment) に相当する．

(21) a.　She is lazy.
　　　b.　That is green.

(21a, b) において，解読を行う言語解析装置が，推論を行う理解モジュールに運んでくるものは，she や that のコード化された意味によって，単数/複数や男性/女性，近い/遠いといったような最小限の制約を与えられ，文脈的に満たされるべき値をもった論理形式だと考えられる．そして，関連性理論は，この値を付与するプロセスを導くのは，やはり関連性の原則であると考える．

さらに，次のような場合も飽和の例と考えられる．

(22) a.　Paracetamol is better.　［than what?］
　　　b.　It's the same.　［as what?］
　　　c.　He is too young.　［for what?］
　　　d.　It's hot enough.　［for what?］
　　　e.　I like Sally's shoes.　［shoes in what relation to Sally?］
　　　　　　　　　　　　　　　　　　　　　(Carston 2000b, 21)

これらはどれも，[　]に示した要素が文脈的に補われるまで，意味的には不完全で，真理値を付与することができない．それぞれの例には，(a)の better，(b)の same，(c)の too x，(d)の x enough，(e)の属格のように，意味的な完成を要求する要素が現れている．

このように，話者の意図する表出命題を復元するために，発話に含まれる言語表現によって要求される要素を文脈的に補う語用論的プロセスを「飽和」と言う．

③　自由拡充

多くの場合，発話の表出命題に対する語用論的貢献は，真偽判定可能な単なる最小命題を復元する以上のことを行っている．次の例は，指示付与がなされたら，真理値を付与できるという意味で命題的に完全なものになるが，さらなる語用論的調整がなければ，ありふれた自明の真実を意味しているにすぎない．

(23)　a.　It'll take time for your knee to heal.
　　　b.　Ralph drinks.
　　　c.　Emily has a temperature.
　　　d.　He's a person with a brain.
　　　e.　Something has happened.　　　(Carston 2000b, 21)

関連性理論は，表意として伝達されるのは，さらに肉付けされた命題だという立場をとる．たとえば (23a) は，"It'll take quite a long time for your knee to heal."，(23b) は，"Ralph drinks alcohol (habitually)." といった表意を伝達していると見なすのが妥当だろう．

表意形成過程において，発話の言語要素によって要求されるものを補うことを「飽和」と呼ぶのに対して，特定の言語要素の要求ではなく，もっと自由に語用論的に何らかの要素を補うことを，「自由拡充」(free enrichment) と言う．

このような自由拡充は，上記のような自明の真理だけでなく，さらに広い範囲に適用される．たとえば，次の例は，自由拡充によって加えられた

[　]の部分がなくても，真偽判定可能な命題の形式を備えている．多くの文脈において，これらの発話によって伝達されていると聞き手が理解するのは，[　]の自由拡充された部分を伴う命題形式である．

(24) a. Jack and Jill went up the hill [together].
  b. Sue got a PhD and [then] became a lecturer.
  c. Mary left Paul and [as a result] he became clinically depressed.
  d. She took out her gun, went into the garden and killed her father [with the gun, in the garden].
  e. I'll give you £10 if [and only if] you mow the lawn.
  f. John has [exactly] four children.

関連性理論では，[　]の部分は，発話の言語的要素の要求によって加えられたものではなく，自由拡充によって付加された表出命題の一部であり，純粋に語用論的な要求によって拡充されたものであると考える．

　もう1つだけ，少しまぎらわしい自由拡充の例をあげておこう．文形式をもたない単語発話や句発話には，統語的省略と見なせるもの（したがって，自由拡充の例ではないもの）と，自由拡充によって解釈するものがある．たとえば，(25B)は "Sue ate the cake." の省略形であることは明らかなので，これらの発話の論理形式は，音形をもたない場所に空の統語範疇を伴う，完全な文の形式をもつものと見なされる．

(25) A: Who ate the cake?
  B: Sue.

一方，省略形とは考えられない次のような例を比較してみよう．

(26) ［部屋に入って来たばかりの男を指して］ Michael's Dad.
　　　　　　　　　　　　　　　　　　　　　　　（Stainton 1994）

このような例は，何らかの発話に対する返答ではなく，談話の最初の発話である．したがって，その論理形式および命題内容にはかなり未確定な部分がある点が，(25)と異なっている．(26)の話し手は，Michael's Dad

以外にはスロットをもたない名詞句発話を自由拡充して，"The man near the door is Michael's Dad." のような命題を伝達しているのである．it is raining という発話の論理形式に，場所を表す in Osaka を加えて，"It is raining *in Osaka*." という表意に発展させる．これも自由拡充である．

　これらの例が示している重要なことは，やはり，一義化や飽和(文法的再構成過程や指示表現)だけでは，表出命題を派生するには不十分であり，概念的要素を復元するもっと純粋に語用論的なプロセス(自由拡充)が，表意形成には必要だということである．

④　アドホック概念形成

　関連性の原則に一致する表意を得るために，語彙概念が文脈に合うように語用論的に調整されたその場限りのアドホック概念が，コード化されている概念に取って代わると考えるのが妥当な場合がある．このような表意形式に関わるプロセスをアドホック概念形成 (ad hoc concept construction) という．アドホック概念は，語彙概念よりも狭められていたり，緩められていたりする．

　具体例を見てみよう．たとえば，次の upset が肯定され否定されている (27) には，upset という語彙に関して，'*' をつけて示されたアドホック概念が関わっていると考えなければ，説明できない．

(27)　［O. J. Simpson 事件の裁判で］
　　　Kato:　He was upset but he wasn't upset.
　　　　　　　　　　　　　　　　　　　　　(Carston 2000b, 35)
　　　(表出命題: Simpson was [upset*] but he wasn't [upset**].)

(27)は，言語的に与えられる情報だけでは意味的矛盾になる．しかし，この弁護士ケイトー氏の発話は，矛盾として意図されたものでもなければ，矛盾として理解されるものでもない．この発話に現れる2つの upset という語は，[upset*] と [upset**] として示されているように，別の概念を伝達していると解釈されなければならない．2つ目の [upset**] は，たと

えば「殺人を犯すような心境にあった」というような含意を伝えることができる，強い概念だと考えられる．これは1つ目の [upset*] はもたない意味で，弁護士ケイトー氏が否定したいと思っているものである．(27) の表出命題は，O. J. シンプソンが問題の時刻に，ある種の特性 [upset*] はもっていたが，それより強い特性 [upset**] はもっていなかった場合に，真になると言える．これは語彙概念の狭め / 強め (narrowing / strengthening) の例である．

これとは反対に，(28) では，語彙概念の広め / 緩め (widening / loosening) が起こっている．

(28) a. ［レストランで出されたステーキにナイフを入れて］ This meat is *raw*.
b. ［クラシック音楽を専門に流す Classic FM 局のアナウンサーが］ You get *continuous* classics on Classic FM.
c. Jane is a *bulldozer*.
d. ［部屋を出て行った女性に言及して］ The *wilting violet* has finally left.

たとえば，(28a) の raw は，単語の意味としてコード化されている厳密な概念の「生の」が緩められて，「十分に調理されていない」くらいのアドホック概念を伝達し，(28b) の continuous も，厳密な「絶えず」という語彙概念が緩められ，コマーシャルや DJ のおしゃべりなどによって音楽自体は途切れるけれども，音楽が流されるところではいつもクラシック音楽だ，といった程度の緩いアドホック概念に取って代わられている．

これら緩めの例では，語彙概念の論理的特性，あるいは定義的特性が消失している．raw では「料理されていない」という特性がなくなり，continuous では「中断しない」，bulldozer では「機械類」，wilting violet では「植物」という特性が消失し，緩いアドホック概念が表出命題の構成要素になっていると考えるのが妥当である (Carston 2000b, 38)．

私たちが話す言語には，単語がある．私たちの心には概念がある．単語は外部世界に属し，概念は私たちの内的世界に属する．Sperber and Wilson (1997a) は，心的表示(概念表示)は文とよく似た構造をもち，自然言語の語彙目録とよく似た心的レパートリーの要素を結合したものであると仮定している．これらの要素は心的概念であり，いわば「心的言語の単語」（words of mentalese）である．単語と概念の対応関係は，言語的解読を受けた発話の論理形式と，それをもとに発展した表意の関係を正しく理解するのに重要な役割を果たすので，Sperber and Wilson (1997a) に基づいて，ここで簡単にその対応関係がどのようなものであるかを見ておこう．

　単語と概念の対応関係の可能性としては，網羅的に 1 対 1 対応しているか，一方よりも他方が多いかのどちらかである．網羅的に 1 対 1 対応しているという立場は，少し考えただけで支持できないことがわかる．まず，単語の中には，3 人称代名詞の it のように，文法的な埋め草として働き，概念をまったくコード化していないものがいくつかある．次に，my や have, near, long などのように，完全な概念をコード化しているのではなく，真理値を付与するためには，文脈によって特定化されなければならない前概念（pro-concept）とでも呼べるものも，多く存在する．たとえば (29) は，my book が 'the book I am thinking of' と解釈されるならば真であるが，'the book I wrote' と解釈されるならば偽になるかもしれない．

　(29)　This is my book.

　さらに，概念の中には対応する単語がなく，複数の単語からなる句によってのみコード化されるものもある．たとえば，uncle-or-aunt（親の兄弟姉妹)のような，単語としては存在しない概念を私たちはもっている．これは言語によっても異なり，たとえば，英語には brother と sister の上位語として sibling という単語が存在するが，フランス語には存在しない．以上のことから，it の例で見たように，すべての単語が概念に写像されるわけではなく，uncle-or-aunt の例で見たように，すべての概念が単語に写像されるわけではない，と考えるのが妥当である．

　それでは，単語と概念のどちらの方が多いかと言うと，Sperber and Wilson (1997a) は，単語よりも概念の方が何倍も多く存在すると主張す

る．なぜなら，すべての単語は，完全な概念をコード化している / いないにかかわらず，先ほどの my などと同じく，前概念のような振る舞いをするからである．つまり，ある単語を発話に用いることによって，話者が伝えようとした概念は，文脈的に作り上げられなければならないのである．

具体的に，open という語を用いてそれを例証しよう．たとえば，メアリーがピーターに (30) を発話した場合，その open は，ほとんどの場合，「コルクを抜く」とか「ふたを取る」ことだと理解される．しかし，場合によっては，普通の開け方ができなくなってしまって，「底をのこぎりで切る」ように頼んでいると解釈される場合もあるだろう．

(30)　Open the bottle.

さらに (31) では，ほとんどの場合「洗濯機のふたを開ける」よう頼んでいると考えられるが，相手が配管工の場合などは，「洗濯機の後ろ側面のねじを外す」ことを頼んでいると解釈されたり，まったく別の場合には「洗濯機を爆破して開ける」ことを頼んでいると解釈される場合もありうる．

(31)　Open the washing machine.

同様のことが，先の (27) の upset，(28) の raw, continuous, bulldozer を含め，ほとんどすべての語について当てはまる．これらの例が示していることは，単語は，それに関連する無限に多くの概念を伝えるために用いられることができるということである．これらの概念をすべて，その単語の語彙目録にリストアップすることは不可能である．単語は，発話の解釈文脈に基づいて作り上げられた「その場限りの」(ad hoc) 概念を伝えるために，しばしば用いられるのである．

さらに言うなら，人はことばで表現できない概念をもっている．私たちは，他人の知らない私的な経験に基づいて，個人的で語彙化できないある種の痛みや匂いなどの概念を，実際形成していると考えられる．そしてそのような痛みや匂いを再び経験し認識したとき，その認識に基づいて推論を引き出すことがある．この匂いは，どこかで嗅いだことがある．そうだ，

あのパーティで出会った会長夫人の香水だ．珍しい香りなので覚えていた．もしかしたら，この事件に彼女が関わっているのではないか…，といったような場合である．このような概念は，ことばでは表現できないだろう．

　以上，言語がもつ単語と人の心がもつ概念の対応関係が，どのようなものであるかを見てきた．人が心にもつ概念は，客観的に存在する単語よりもはるかに多い．アドホック概念形成は，Sperber and Wilson (1995[2]) 以降，理論的概念として関連性理論に組み込まれ，発話の表意を形成する際に重要な役割を果たす，1つの語用論的プロセスだと見なされている．

〈言語的意味の不確定性〉
　以上の〈表意に貢献する4つの語用論的手段〉に関する議論から，「言語的意味の不確定性」(linguistic underdeterminacy) が明らかになった．「言語的意味の不確定性」の論題とは，発話に用いられる表現の言語的意味(コード化されている意味)だけでは，その発話の表出命題(ひいては表意)を確定するには不十分であるということを意味する．

　その根拠となったデータを，先ほどとは別の視点から6項目に分けて，ごく簡潔にまとめておこう．①は一義化，②と③は飽和，④は自由拡充，⑤はアドホック概念，⑥は飽和またはアドホック概念によって扱われるものである．

① 一義化を必要とする多義語
　(32a)では，ringが「電話の音」ではなく「輪(あるいは円)」に，(32b)では，visiting childrenが「子どもの客」と「子どもを訪問すること」のどちらかに一義化されなければ，その発話の表出命題が決定できない($\Rightarrow$ (20))．

　　(32)　a.　Frank took a large ring of keys from his pocket.
　　　　　b.　Visiting children can be tiring.

② 指示付与を必要とする指標表現

(33) の it や the girl, him などのような代名詞や指標表現は，指示対象が付与されなければ，その発話の表出命題を決定できない（⇒ (21)）.

(33) a. It is getting cold.
b. The girl was very kind to him.

③ 言語要素の要求で概念要素を補充する場合

(34) のようなある種の表現を含む発話は，[ ] の要素が文脈的に補われなければ表出命題を決定できない（⇒ (22)）.

(34) a. He is too young. [for what?]
b. It's the same. [as what?]

④ 純粋に語用論的要請によって概念要素を補充する場合

(35) の発話はそのままでは自明の真理または明らかな偽であり，[ ] の部分を補わなければ，話者の意図した表出命題を復元できない（⇒ (23)）.

(35) a. The north island is some distance from the south island.
(→ ... is some [more] distance [than you think] from the south ...)
b. There's nothing on TV tonight.
(→ ... nothing [worth watching] on TV ...)

⑤ コード化された意味に調整を加える必要のある場合

(36a) の bachelor は，ある文脈においては，コード化された「独身男性」から，たとえば「同性愛者でなく，若くて結婚に適する独身男性」に概念が狭め／強められ，(36b) の oblong は，数学的な厳密な「長方形」から，顔に適用できる程度に緩め／弱められて，表出命題が決定される（⇒ (27), (28)）.

(36) a. She wants to meet a bachelor.

　　　　b.　Her face is oblong.

⑥　作用域や焦点などの特定を必要とする要素
　否定辞 not や every などの量化詞を含むある種の要素については，その作用域や焦点を決定しなければ，表出命題が確定されない．

　(37)　a.　Everyone isn't hungry.
　　　　b.　She didn't butter the toast in the bathroom with a knife.

　⑥については，少し説明が必要かもしれない．たとえば (37a) では，everyone の量化範囲が，たとえば in this class といったように決定されなければならない．さらに，not と every のどちらがより広い作用域をとるかによって，'Not everyone in this class is hungry.'（このクラスのすべての人が空腹であるわけではない）と 'No one in this class is hungry.'（このクラスに空腹な人は誰もいない）の2つの解釈が可能である．表出命題を得るためには，文脈に基づいて語用論的に，どちらの作用域関係にあるのかを決定しなければならない．(37b) についても，「トーストにバターを塗ったのではない」，「お風呂でではない」，「ナイフでではない」などのように，否定の焦点が何かによって真理条件の異なる，何種類かの解釈が可能である．表出命題を確定するためには，語用論的に否定の焦点を決定しなければならない．このように，量化詞の量化範囲や作用域の関係を決定したり，否定の焦点を選択することは，言語的解読だけでは決定できず，文脈に基づく語用論的判断が必要である．
　(37a) の例において注意が必要なのは，発話によって伝達される明示的意味（命題内容）を，どの段階のものだと見なすかという点である．たとえば，not にコード化されているのは，文の要素をすべてその作用域に収める広い作用域であると仮定しよう．すると，(37a) の論理形式がもつ解釈は，「すべての人が空腹であるわけではない」という部分否定読みである．しかし，文脈によっては，この広い作用域をとる not が語用論的プロセスによって強められ，より強い解釈「すべての人が空腹ではない＝空腹の人は誰もいない」の全部否定読みが派生されると考えられる．

上記 ①〜⑥ の例は，言語的意味の不確定性，つまり，発話の言語的解読によって得られた意味のみでは，その発話の表出命題を確定するには不十分であるという論題に，十分な根拠を与えていると見なすことができるだろう．

ここで，念のため，意味の不確定性（underdeterminacy）と非決定性（indeterminacy）の違いについて確認しておこう．すでに明らかなように，言語的意味の不確定性とは，言語的意味だけでは発話の表出命題を十分確定できないことを意味するのに対して，非決定性は，たとえば she や he などに代表される指標表現や the girl などの確定記述が，文脈なしではその指示対象を決定できないような場合に用いられる．つまり indeterminacy とは，文脈なしでは決定できない状態，すなわち「引き出すべき結論がないので結論が引き出せない」ことを意味する（Carston 1998, 15）．したがって indeterminacy は，上記の指標表現や確定記述，先に述べた open などのようなある種の述語の意味など，概念的貢献に関わる場合は，言語的意味の不確定性の原因になる．一方，メタファーなどによって意図された弱い推意の範囲や，他言語への翻訳の正しさなどについても用いられるものである．

関連性理論は，人の心に関して表示的な見解を採用している．人の内的言語においては，時間や空間の指標を普遍的な座標に定めているのではなく，私的で自己中心的な地図に定めているとする．私が自分に関してもっている思考は，対話の相手が私についてもっている思考とは異なっている．私の here や now の心的表示は，相手が私の here や now の心的表示だと見なすものとは異なる．これが自己中心的地図の機能である．目の前のテーブルの上にある 1 杯のコーヒーに関する私の心的表示は，私との関係において決定される．そして Carston（1998, Chap. 2）は，広範な議論に基づいて，言語的意味の不確定性は自然言語の本質的特性であると見なしている．

言語体系は，話し手が表現しようとする命題をコード化するのに十分な言語資源をもっていない．言語体系が非常に有効であることは疑いないが，言語体系によってのみ与えられるものは，人が考え伝達できるものの

一部にすぎない．発話のコード化された言語的意味がする仕事は，「推論プロセスを正しい軌道に乗せる」ことだと言える．

このような見解に基づくと，ことばによるコミュニケーションは，思考再生の手段ではないことになる．話し手が伝達したいと思っている思考が，聞き手の心に完全に再生されることは，めったにない．コミュニケーションは，話し手がもっている想定に十分似ている認知効果の集合を，聞き手の心に生じさせたときに成功するのである．この意味におけるコミュニケーションがよく成功するのは，1つには，言語によって与えられる方向づけのおかげであり，また1つには，信念や意図を他に帰属させる生得的な能力(メタ表示能力)のおかげであり，さらにまた1つには，人が常に関連性を求めるという認知的要求(関連性の認知原則)と，発話によって伝達される最適な関連性の見込み(関連性の伝達原則)のためである，と言えるだろう．表意の具体的な話に戻ろう．

〈表意の明示性の程度〉

すでに述べたように，表意は，意味論的(言語的)解読と語用論的推論という，2つの異なる認知プロセスによって派生される．そのため，同じ表出命題を伝達する発話でも，その意味論的貢献と語用論的貢献の度合いの違いによって，表意の明示性には程度の差が生じることがある．次の例を見てみよう．

(38) a. Mary Jones put the book by Chomsky on the table in the downstairs sitting room.
b. Mary put the book on the table.
c. She put it there.
d. On the table. (Carston 1998, 86)

(38a–d)は，異なる文脈において，まったく同じ表出命題を伝達するために用いることができるだろう．その表意を形成する過程において，(38c, d)は，(38b)よりもより多くを語用論的推論に依存し，(38d)は(38c)よりもより多くを語用論的推論に依存している．したがって，(38a, b, c, d)の順に，その表意の明示性の程度は低くなっていると考えられる．

〈基本表意と高次表意〉

さて，これまでの表意に関する議論から，1つの発話がもつ表意は1つだけであるというような印象を与えたかもしれないが，典型的には，発話は複数の表意をもつと考えられる(Wilson and Sperber 1993, 5-6)．その理由として，まず第一に，発話の論理形式が，発話行為表現や命題態度を表す記述などの高次表現(想定スキーマ)に埋め込まれた形の表意が伝達される場合がある．第二に，発話自体が複文である場合，埋め込まれている補文が独立した1つの表意となる場合がある．

まず，第一の具体例を見てみよう．(39)のビルの質問に対するメアリーの返答は，(40)のような表意をもつと考えられる．(40a)は「基本表意」(base-level explicature または lower-level explicature)と呼ばれ，(40b-d)は「高次表意」(higher-level explicature)と呼ばれる．(39)の例の場合，(40a)の基本表意は，発話の言語的解読によって得られた論理形式から，上記の語用論的プロセスによって発展された命題形式(表出命題)である．(40b)の高次表意では，Mary says that ＿＿ という発話行為を表す想定スキーマに，基本表意が埋め込まれ，(40c, d)では，それぞれMary believes that ＿＿, Mary is happy that ＿＿ という命題態度を表す想定スキーマに，基本表意が埋め込まれている．

(39) Bill:　Did your son visit you at the weekend?
　　　Mary (happily):　He did.
(40) a.　Mary's son visited her at the weekend.
　　 b.　<u>Mary says that</u> her son visited her at the weekend.
　　 c.　<u>Mary believes that</u> her son visited her at the weekend.
　　 d.　<u>Mary is happy that</u> her son visited her at the weekend.
　　　　　　　　　　　　　　　　　　　　(Carston 1998, 88)

(40)に示した高次表意が，すべて伝達されるとは限らない．発話文脈に基づいて，処理労力に見合うだけの認知効果を達成するのに必要な想定だ

けが派生され，認知効果に貢献しない余計な想定は，心的表示されないのである．たとえば，メアリーが息子との間の溝が大きくなってきているのを心配していることを，ビルが知っているような状況では，ビルは(40a)の基本表意と，(40d)の高次表意だけを心に表示する可能性がある．これらは，文脈効果を生み出す可能性の高い，明示的に伝達された想定である．文脈によっては，(40c)のような話し手の信念を記述した高次表意が，その発話の関連性に貢献する場合もあるだろう．たとえば，メアリーに関してビルがすでにもっている想定を，覆したり修正したりするような場合である．

　表出命題が埋め込まれた高次表意の重要性は，命令文のような非平叙文発話や，アイロニー発話のような「字義どおり」に解釈されない例を見るときに，明確になる．これらに共通する特徴は，表出命題は伝達されない（つまり基本表意はない）が，それを埋め込んだ高次表意が伝達される点である（⇒第4章）．たとえば，(41a)のような命令文が伝達するのは，(41b, c)のような高次表意だと考えられる．(41a)の表出命題は，それに対応する平叙文 'The hearer buys some milk.' と同じだが，これは(41a)によって伝達されているとは考えられないので，表意ではない（⇒2.3）．

(41)　a.　Buy some milk.
　　　b.　It is desirable to the speaker (and achievable) that the hearer buys some milk.
　　　c.　The speaker requests the hearer to buy some milk.

　発話が複数の表意をもつと考える第二の理由は，発話自体が複文である場合，埋め込まれている補文自体が独立した1つの表意となる場合があるからである．Sperber and Wilson (1995², 182) は，次のような形式をもつ発話において，Pが1つの表意となりうることを指摘している．

(42)　a.　I tell you that P.
　　　b.　P despite Q.

たとえば，(43)は解読されて，(44)の3つの論理形式をもつと考えられ

る（Carston, 1998, 90）．

(43)　Kim shouldn't pass the course, because she frankly hasn't done the work.
(44)　a.　Kim shouldn't pass the course.
　　　b.　She hasn't done the work.
　　　c.　Kim shouldn't pass the course, because she hasn't done the work.

そして，それぞれが，たとえば次のような一連の潜在的な高次表意をもつ．（S は話し手，H は聞き手を表す．）

(45)　a.　Kim shouldn't pass the course.
　　　b.　S believes Kim shouldn't pass the course.
　　　c.　S is saying that Kim shouldn't pass the course.
(46)　a.　Kim hasn't done the work.
　　　b.　S believes that Kim hasn't done the work.
　　　c.　S is telling H frankly that Kim hasn't done the work.
(47)　a.　Kim shouldn't pass the course, because she hasn't done the work.
　　　b.　S believes that Kim shouldn't pass . . . done the work.
　　　c.　S is saying that Kim shouldn't pass . . . done the work.
　　　d.　S is sad that Kim shouldn't pass . . . done the work.

(40)の場合と同様，これらがすべて伝達されるとは限らない．処理労力に見合う認知効果を得るのに必要な想定は心的表示されるが，そうでないものは表示されない．ただ(43)の場合，because 節の中に，真理条件には貢献しないが高次表意には貢献する frankly が含まれているので，聞き手はおそらく少なくとも(46c)は表示し，何らかの認知効果を得ると考えられる．

　以上，表意の形成過程や特徴について，〈表意に貢献する4つの語用論的手段〉，〈言語的意味の不確定性〉，〈表意の明示性の程度〉，〈基本表意と高次表意〉の順で，概観した．それでは次に，発話の非明示的内容である

推意を見ることにしよう．

2.3.2 推　意
〈前提推意と帰結推意〉

　推意は，発話によって伝達される想定のうち表意ではないもの，つまりは，発話の言語的解読から得られた論理形式を発展させたものではないものである．それらは，記憶から引き出されたり，表意と文脈との相互作用によって引き出されたり（文脈含意），あるいは必要な場合は作り出されたりするもので，語用論的推論によって派生される想定である．Sperber and Wilson（1995[2]）は，前提推意（implicated premise）と帰結推意（implicated conclusion）の2種類の推意を区別している．

　具体的に，(48) のピーターとメアリーの会話を考えてみよう．

　(48)　Peter:　Would you drive a Mercedes?
　　　　Mary:　I wouldn't drive ANY expensive car.
　　　　　　　　　　　　　　　　（Sperber and Wilson 1995[2], 194）

(48) のメアリーの発話は，ピーターの質問に答えていないが，ピーターはそれが最善の関連性を保証していると信じ，最小の労力でそれに見合う関連性のある解釈を得ようと，推論を開始する．メアリーの発話は，ピーターが高級車についての百科事典的情報を記憶から呼び出すように仕向けている．その情報の中に (49) が含まれているとしよう．

　(49)　A Mercedes is an expensive car.

　(49) を含む文脈で処理されると，(48) のメアリーの発話は，(50) のような推論の前提として用いられ，質問の答えになる (50c) のような帰結（文脈含意）を生み出して，関連性を達成すると考えられる．

　(50)　a.　Mary wouldn't drive any expensive car.　(48) のメアリーの
　　　　　　　　　　　　　　　　　　　　　　　　　　発話
　　　　b.　A Mercedes is an expensive car.　　　　　(49) 記憶から復元

c. Mary wouldn't drive a Mercedes. 　　文脈含意

記憶から呼び出された (50b) と，推論の結果引き出された (50c) はどちらも，話し手が聞き手に顕在化しようとする意図を相互に顕在化した想定，つまり聞き手に伝達しようとした想定だと考えられる．しかし，発話の解読に基づく明示的に伝達された想定 (表意) ではないので，推意である．このとき，(50b) のような推論の前提として使われる推意を「前提推意」，(50c) のような推論の帰結として引き出される推意を「帰結推意」と言う．

前提推意には，上記のように記憶にある想定が呼び出される場合もあるが，次のように，聞き手によって作り出される場合もある．たとえば，ピーターはジェインが最近本を出版したことは知っているが，それがどんな本であるかは知らないとしよう．ジェインの友人のメアリーに会って，ピーターが (51a) と尋ね，メアリーが (51b) と答える．

(51)　a.　Peter:　Have you read Jane's book?
　　　b.　Mary:　I don't read any autobiographies.

ピーターは，一見質問の答えになっていないメアリーの発話が，自分にとって最善の関連性があることをメアリーが保証していると信じて，推論を開始する．その推論は次のように進行すると考えられる．

(52)　a.　Mary doesn't read any autobiographies.　(51) のメアリーの発話
　　　b.　Jane's book is an autobiography.　　　　（前提推意）
　　　c.　Mary doesn't read Jane's book.　　　　　（帰結推意）

このとき，前提推意の (52b) は，そのことを知らなかったピーターの記憶から呼び出されたものだとは考えられない．記憶から何らかの想定スキーマ (たとえば '＿＿ is an autobiography') を引き出し，それにそってピーターが作り出したものだと考えるのが妥当である．メアリーの発話 (52a) は，作り出された (52b) とともに推論の前提となり，帰結推意

(52c)を引き出して，関連性のある解釈にたどり着くのである．

　以上のように，前提推意は，(50b)のように記憶から検索して呼び出してくるか，(52b)のように記憶から呼び出してきた想定スキーマを発展させることによって，聞き手が補う想定である．このような想定が推意と見なされうるのは，それを用いた推論によって関連性の原則と合致する解釈につながり，それを得るためにもっともアクセスしやすい前提であること（つまりもっとも処理労力が少ないこと）が明白であることに基づく．一方，帰結推意は，発話の表意と文脈から演繹されるものである．Sperber and Wilson (1995^2, 195) は，「すべての推意は，前提推意か帰結推意のどちらかである」と述べている．そしてすでに述べたように，推意は，表意と同じく発話によって「伝達される」想定である．

〈推意の強さ〉

　推意には，さまざまな強さがある．たとえば，(53A)の質問に対する(53B)の発話は，(54)を強い推意としてもつと考えられる．

(53)　A:　Is that new Italian restaurant good?
　　　B:　The chef is Italian.
(54)　The restaurant is good.

(53B)は，そのレストランが出すイタリア料理がおいしい1つの証拠を提示しているので，聞き手はこの質問の答えとなる特定の推意(54)を引き出すように，強く仕向けられる．(54)は(53B)によって伝達される「強い推意」である．

　一方，広い範囲にわたる確定度の低い一連の弱い推意が伝達されることによって，関連性が達成される場合もある．たとえば，(55)のような創造的メタファー発話の場合である．詩人ルコント・ド・リール (Leconte de Lisle) についてのフロベール (Flaubert) のコメントは，ルコントの詩が手書きのかたちではなく印刷されたかたちで読まれることがわかっている状況では，いわゆる字義的解釈は排除され，その関連性は，聞き手側の文脈の拡大に応じて，(56)のような一連の弱い推意を伝達することによっ

て達成される．

(55)　His ink is pale.　　　　　　(Sperber and Wilson 1995², 237)
(56)　a.　He has the character of a man who would use pale ink.
　　　b.　His writing lacks contrasts.
　　　c.　His writing may fade.
　　　d.　There is something weak in his poetry.
　　　e.　His writings will not last.
　　　f.　He does not put his whole heart into his work. *etc.*

(55)においては，明らかに強い推意は存在しない．聞き手は，この発話の関連性を達成するために，文脈を拡大して広範囲にわたる弱い推意をさがすことになる．まずインクと筆跡に関する百科事典的情報にアクセスして文脈を拡大し，(56a)のような推意が得られるだろう．さらに，筆跡に当てはまることは文体にも当てはまるという前提を加えて文脈を拡大した場合，(56b, c)のような推意が引き出されるかもしれない．ルコント・ド・リールの作品についてほとんど知らない人は，(56d, e, f)などと結論づけるかもしれない．この詩人をよく知っている人は，(55)をもっと辛辣に解釈することができるだろう．

　このような例においては，各推意を引き出す責任の多くは聞き手側にあり，それぞれの推意を話し手が伝達しようとしたかどうかに対する聞き手の自信は，上記(54)の場合ほど強くはない．しかし(55)の発話の関連性は，これらの一連の推意によって達成されるのである．このような推意を「弱い推意」と言う．結果として生じる解釈は，どのように解釈される可能性があるかを予見しているという点で，話し手(または書き手)のフロベールに責任があり，実際に上記のような一連の推意を引き出すという点では，聞き手(または読み手)にその責任の多くがある．また，弱い推意によって関連性を達成するものは，このような創造的メタファーに限られるわけではない(⇒ 第4章)．

　一般的に言うと，関連性の原則に一致する解釈に到達するために，非常に特定的な推意を補うように聞き手に仕向ける発話の場合，引き出される

推意は非常に強い推意である．一方，関連性の原則に一致する解釈が，さまざまな推意の集合によって与えられるような発話の場合，引き出される推意は弱い推意である．当然，推意が弱ければ弱いほど，話し手の思考を正しく反映していることに対する聞き手の自信は少なくなり，聞き手はその責任の大部分を負わなければならないが，その発見は話し手が引き金になったものである．このように推意には，話し手が責任をもつ確定的なもっとも強い推意から，聞き手がその責任の多くを負う非常に弱い推意まで，さまざまな強さをもつものがある．

2.3.3　表意と推意の相互作用と位置づけ

表意と推意に関して注意しておかなければならない点は，表意が先に確定され，それから推意が引き出されると順番が決まっているわけではないということである．両者が相互調整しながら，時間的には同時進行で派生される場合が多いと関連性理論では考える．

たとえば，(57)のような場合を考えてみよう．メアリーの発話 "I'm tired." のピーターの解釈は，(58a)のような表意と，(58b, c)のような推意を含んでいると考えられる．

(57)　Peter:　Do you want to go to the cinema?
　　　Mary:　I'm tired.
(58)　a.　Mary is tired. （表意）
　　　b.　Mary's being tired is a sufficient reason for her not to want to go to the cinema. （推意）
　　　c.　Mary doesn't want to go to the cinema because she is tired. （推意）　　　　　　　　（Sperber and Wilson 1997a, 116）

ピーターの心に最初に浮かんだ想定が，(58b)だとしよう．この想定を推論の暗黙の前提として用いて，(58c)という帰結を彼が引き出し，質問の答えとして解釈すれば，十分な関連性を達成できるので，メアリーはこれを伝達しようと意図したのだろうとピーターは推論する．(58b, c)は，メアリーが聞き手に顕在的に(あるいはより顕在的に)しようとした想定だと

考えられるので，(58a) の推意だと見なされる．
　ここで，表意 (58a) に現れる tired という概念に注目しよう．人は常に，多かれ少なかれ疲れている．(57) の対話の場合，メアリーの発話の関連性を達成するのに必要な推意 (58b, c) をうまく引き出すためには，ほんのわずかの疲れでも当てはまる「メアリーは疲れている」ではなく，それよりも強い程度の疲れを意味する「メアリーは(映画に行きたくないほど)疲れている」という命題を，メアリーは伝達していると理解されなければならない．つまり，意図された推論を保証する程度にまで，tired という概念が強められなければならないのである．このとき，表意と推意は並行的に相互調整される．関連性の期待は特定の推意の派生を保証し，そのために表意の命題内容がその推意を引き出せるような概念をもつように調整されるのである．
　したがって，もし「疲れている」というのを映画に行かない口実にしているとピーターが思った場合，彼は (59) のように答えるかもしれない．

(59)　Come on, you're not *that* tired!

ピーターは，メアリーが「(ほんのわずかでも)疲れている」ことを否定しているのではなく，「彼女の発話によって伝達された程度にまで，疲れている」ことを否定している．つまり，「映画に行きたくないと思うのが妥当なほど，彼女は疲れている」のではないだろう，と言っているのである．これが，先のセクションで述べた，tired のアドホック概念であり，上記の推意をうまく引き出すことができるのは，この tired の概念である．
　文脈に基づくアドホック概念形成のプロセスを採用する関連性理論は，その伝達される概念について，プロトタイプ意味論とは少し異なる見方をとっていることになる．カテゴリーの定義主義を否定するプロトタイプ意味論では，概念(カテゴリー)というのは，何らかの定義(特性)によって捉えられるものではなく，カテゴリー境界はファジーであり，プロトタイプ特性を多くもつほど，その要素の典型性が高いと考える．一方，関連性理論では，コード化された概念の定義特性を仮定し，そのコード化された概念が文脈に基づいて強められたり弱められたりして，その場限りのアド

ホック概念が形成されるのだと考えるのである．

　一般に発話に現れる単語は，話し手の意味を表すアドホック概念に導く鍵(証拠)を与える．その意図された概念は，たまたま単語によってコード化された，まさにそのもので，厳密に字義どおりの意味で用いられる場合もあるかもしれない．しかしこれは１つの可能性にすぎず，けっして好まれるデフォルト的解釈ではない．字義どおりであろうとなかろうと，どのような解釈も，発話の表意と推意の相互調整から生じる．この相互調整過程は，推意に関する解釈仮説が，表意に関する解釈仮説と文脈によって保証され，全体の解釈が関連性の伝達原則によって保証されたときに確定されるのだ，と Sperber and Wilson (1997a) は主張する．そして，この推意の派生と表意に対する語用論的貢献が互いに相互調整するプロセスは，発話解釈に関わる一連の語用論的仕事が，同じ解釈原則のもとで行われて初めて可能となるプロセスであると考えられる．

〈発話の認知処理に関わる３レベル〉

　ここで，発話解釈において重要な役割を果たすレベルをまとめておこう．関連性理論では，発話の認知処理レベルとして，(60)に示した３つのレベルを仮定している．

　　(60)　a.　発話の論理形式
　　　　　b.　表意
　　　　　c.　推意

(60a) の発話の論理形式というのは，発話が言語的解読を受けたもので，意味論の出力である．中央系における発話の認知処理過程の出発点は，この発話の論理形式であり，これが語用論への入力となる．発話解釈者(聞き手)は，一義化や飽和，自由拡充やアドホック概念形成などのような語用論的プロセスを用いて，発話の論理形式を発展させ，表意を形成する．したがって表意は，言語的解読と語用論的推論の産物である．さらに表意に基づいて，あるいは表意と相互作用しながら，語用論的推論によって推意が引き出される．表意と推意は，発話によって伝達される想定，すなわ

ち，話し手が聞き手に顕在的に(あるいは「より」顕在的に)しようとする意図を相互に顕在化した想定である．そしてこれらの認知処理過程はすべて，関連性の原則によって導かれているのである．

すでに述べたように，Grice 自身や Neo-Grice 派の研究者が仮定している 'what is said' のレベルは，(60a) の発話の論理形式と (60b) の表意の間に位置する．'what is said' は最小命題に相当し，発話の論理形式に指示付与と一義化だけを行ったもので，語用論的貢献を最小限にして，真理値を何とか付与できる命題の形を整えたものである．関連性理論では，発話解釈において何ら重要な役割を果たさないとして，このレベルを仮定しない ($\Rightarrow$ Carston 1998, Chap. 3)．

以上，表意と推意の基本的な考え方を見てきた．表意に対する言語的意味の貢献の度合いや，表意の形成に関わる語用論的過程，解釈過程における表意と推意の関係などに関する研究は，この数年で大きく発展し，議論が活発に行われている．その結果，かつては会話の含意だと見なされていたものが，表意の一部であると分析する方が妥当だと考えられるようになったものがある．次の節では，表意と推意の境界問題に目を向けよう．

2.3.4 表意と推意の境界問題

すでに述べたように，Grice (1975) や Levinson (1988, 2000)，Horn (2001[2]) などのいわゆる Neo-Grice 派の語用論学者たちは，語用論的に補われる意味は基本的に会話の含意であり，真理条件に貢献しないと考えている．しかし，先の節で見たように，Carston (1998) によって，言語的意味が命題を十分に決定できないこと(言語的意味の不確定性の論題)が明らかになったので，語用論的に推論された内容が表出命題のレベルに貢献している場合があると考えられる．興味深いことに，これらの多くは，Grice の用語では，一般的会話の含意 (generalized conversational implicature) と見なされていたものである．本節では，このような表意と推意の境界に関わる側面のうち，特に and 接続 (*and*-conjunction) に伴われる意味と，いわゆる「尺度含意」(scalar implicature) について考察してみよう．

〈and 接続〉

　and が，時間的順序関係や因果関係などのほかに多くの意味を持つ多義語であるという議論に反対して，and の意味は真理関数的演算子（∧）であり，それ以外の意味は，語用論的に派生された会話の含意だと主張したのは，Grice（1967）である．一方，関連性理論は，その分析の基本的な方向は支持しながらも，and に伴う語用論的意味は，表意に貢献する明示的意味の一部だと主張する．

　具体例を見てみよう．and によって接続された文は，(61) に示すように，2つの事態の間に，実に多様な関係を伴って解釈される．

(61) a. It's summer in England and it's winter in New Zealand.
　　 b. He handed her the scalpel and she made the incision.
　　 c. She shot him in the head and he died instantly.
　　 d. He left her and she took to the bottle.
　　 e. He was shortsighted and mistook her for a hatstand.
　　 f. She went to the yoga class and found it very calming.
　　 g. I forgot to hide the cake and the children consumed it.
　　 h. We spent the day in town and went to Harrods.
　　　　　　　　　　　　　　　　　　　　　　　(Carston 1998, 136)

(61a) 以外は，すべて非対称的構造で，その意味は等位項の順番に大きく影響される．(61b) は時間的連続，(61c) は直接的因果関係，(61d) は間接的因果関係，(61e) は時間的連続性を伴わない因果関係，(61f) の第2項は第1項の結果で，そのクラスが進むにつれて生じたものである．(61g) の第1項は第2項の事態を可能にする1つの要因であり，(61h) は時間的包含関係にある．もしこれらの意味が語用論的に派生されるのではなく，and の言語的意味であれば，and は (61b) と (61h) のように互いに矛盾するものも含む，莫大な量の関係をコード化していることになる．and の意味は単一で，それ以外は語用論的に派生されたものだと考える方が，明らかに望ましい．

　実際，このような読みは，(62) のような and のない並列文にも生じる．

このことは，時間的順序関係や因果関係などの意味が，語用論的に派生されたものであることを示している．

(62) a. It's summer in England. It's winter in New Zealand.
 b. He handed her the scalpel. She made the incision.
 c. He was shortsighted. He mistook her for a hatstand.

　このような語用論的な意味は，記憶に保管されているフレームやスクリプトへの，アクセス可能性によって説明される．よく経験される行動や出来事，プロセス，そしてそれらが連続したものは，1つのまとまりとして，フレームやスクリプトとして保管されている．それらはアクセスしやすく，発話解釈においてそのようなスクリプトに沿って拡充することは，少ない労力で十分な認知効果を得る1つの有効な手段である．
　たとえば上記の(61b)では，典型的な外科手術のスクリプトに対してすぐにアクセスが与えられ，その表出命題は(63a)のようなものだと考えられる．

(63) a. He handed her the scalpel and a second or two later she made the incision with that scalpel.
 b. He handed her the scalpel and simultaneously she made the incision with her pocketknife.

これはけっして論理的必然ではなく，(63b)のような拡充も場合によっては起こる可能性もなくはないが，多くの場合(63a)の解釈が選択される．関連性理論は，このことを次のように説明する．聞き手は，処理労力の少なくてすむ，もっともアクセスしやすい解釈仮説を構成する．そして，その解釈仮説が，合理的な話し手が予測したと思われる方法で十分な認知効果を生み出し，その認知効果を達成するのに不当な処理労力をかけないものであるならば，聞き手はそれよりアクセスしにくい別の解釈仮説を考えないのである．この発話の認知処理プロセスは，(61c–h)についても基本的には同じであると考えられる．
　and に伴う語用論的意味は，会話の含意ではなく，自由拡充によって命

題内容に貢献するものと見なされるべきだと，関連性理論は主張する．実際，(64)–(66) の「埋め込みテスト」の結果が示すように，これらの語用論的意味は，選言 (or) や比較級，if などの論理演算子の作用域に入る．

(64) If the old king died of a heart attack and a republic was declared Sam will be happy, but if a republic was declared and the old king died of a heart attack, Sam will be unhappy.
(Carston 1988, 172)
(65) Either he left her and she took to the bottle or she took to the bottle and he left her. (Carston 1998, 139)
(66) It's better to do your PhD and get a job than to get a job and do your PhD. (*ibid.*)

(64)–(66) において，語用論的意味がそれぞれの論理演算子の作用域に入る読みをしなければ，(64) は if p, q, but if p, not q という矛盾文になり，(65) は either p or p, (66) は it is better to p than p ということになり，まともな意味をなさない．したがって，and に伴われる語用論的意味は，発話によって表現された命題内容に貢献し，表出命題の一部分となって真理条件に貢献すると考えられる．上記のような埋め込みテストは，語用論的意味が表意に貢献しているかどうかを決定する有効な証拠を提供する．

ここで，and 接続文と and を伴わない並列文 (juxtaposed sentences) の比較研究から明らかになった，興味深い認知的基本作用について述べておこう．並列文で生じうる語用論的解釈の中には，and 接続文では生じないものがある．たとえば，2 つの文が単に並列された (67a) では，第 2 文を第 1 文の理由を説明しているものとして解釈する「事実–説明読み」が可能だが，and によって接続された (67b) では，この解釈は生じない．(68) も同様である．

(67) a. Max didn't go to school; he got sick.
    b. Max didn't go to school and he got sick.
(68) a. Max fell over; he slipped on a banana skin.

b. Max fell over and he slipped on a banana skin.

(Carston 1998, 145)

　上記 (67), (68) の例が示していることは，and を伴わない並列文では，第 2 文を第 1 文の説明と解釈する「事実–説明読み」が優勢であるが，and 接続文ではこの解釈が生じないということである．どうしてこのような違いが生じるのだろうか．まず，並列文ではなぜ「事実–説明読み」が優勢なのかについて考えてみよう．

　人工知能 (AI) や，心理学，語用論などの領域で，テクスト理解に関わる推論プロセスを研究している多くの学者が，人は，世界で起こる出来事に関して，つじつまの合う一貫した理解をしようとする際に，因果関係の見地からその解釈を体系化していると述べている．たとえば Abbott and Black (1986) は，人は，出来事を単に時間的前後関係のあるものとして覚えるよりも，因果的関係のある一連の出来事として覚える方が得意であることを例証している．

　そして，このような考え方において広範に用いられているのが，因果関係スキーマという概念である．因果関係スキーマとは，「撃たれて死ぬ」とか「花瓶を落として割る」といったシナリオのように，因果関係があることがはっきりと示された 2 つ以上の事態に関する，ひとまとまりの命題からなる知識構造である．さらに，まったく新しいことに因果関係を容易に課せるのだから，それほど十分にシナリオが固定されておらず，もっと柔軟で変項のスロットをもつ因果関係スキーマもあると考えられる．

　人は並列文を処理する際，第 2 文が第 1 文の説明だとするのが最初に試みられる解釈仮説である．なぜなら，私たちの認知構造を組織する基本的な原則が，事態の表示がほかの事態の表示と共に因果関係の網の中に埋め込まれることを要求するからである．関連性のある情報は，既存の表示と結びついて，認知環境に何らかの改善を生じさせる．関連性のある情報というのは，人がもつ疑問に答えるものであり，想定スキーマのような不完全な表示を埋めるものである．そのような疑問 / 質問は，what, when, how, why などのような wh 語によって明示的に示され，たとえば "Why P?"

は "P because ＿＿" のような想定スキーマを表示すると理解される.

並列文発話においては，このような明示的な質問はなされないが，私たちが第 1 文の新しい情報 P を登録すると，普通 "P because ＿＿" という想定スキーマを構成すると考えられる．そして，この想定スキーマを完成することは，私たちにとって関連性がある．したがって話し手は，第 1 文を提示された聞き手が，自動的に why 疑問を構成する (あるいは，"P because ＿＿" という想定スキーマを構成する) と仮定することができる．話し手はこれを予測し，説明を与えることによって，その質問を先取りするのである．そして，期待された関連性を達成する．聞き手の方は，それに反する何らかの強力な理由がない限り，第 2 文を第 1 文の説明と理解する．この関係は非常にアクセスしやすいので，その関係をコード化した because などの語を，普通は用いないのだと考えられる.

それでは，and 接続文にはどうしてこの解釈が生じないのだろうか．それは，and があることによって，第 1 文と第 2 文は単一の処理単位と見なされるからだと考えられる．第 1 文を P，第 2 文を Q とすると，話し手が and で接続した発話 (P and Q) を発するとき，最善の関連性を伝達するのは，その A and B という命題全体であって，A または B といった個々の構成要素の命題ではない．関連性の原則に一致するという基準を満たすべき単位は，その接続された A and B 全体なのだ，と Carston (1998) は主張する.

実際，(69a) のように，and を伴う主語が単数形の動詞 (has) をとったり，(69b) のように単一の決定詞 (my) をとったり，(69c) のように，単一の補文標識 (that) を伴う 1 つの統語的単位として機能したりすることは，and 接続されたものが 1 つの単位を形成するという主張を支持する.

(69) a. Friends, whose [kindness and encouragement] has . . . .
b. My [hope and wish] is to . . . .
c. That [John had an affair and Mary left him] is a sad fact.

この，and 接続文が 1 つの単位として処理されるという考え方が正しければ，第 2 文が第 1 文の説明となる解釈が生じないことは，容易に説明され

る．そもそも「説明」というのは，whyやhow疑問文に対する答えである．答えは別個の発話として計画され，質問と答えはそれぞれ関連性を個々に満足させる．andで接続された文は1つの単位として処理され，全体として関連性を達成するので，第2文は第1文の説明として機能しないのである．

以上，and接続に関する議論を見てきた．Carston (2002) は，andの意味は，論理演算子と等しいものであるか，あるいは，andが概念的意味と手続き的意味のどちらの意味ももたず，統語的に結合させる役割のみを果たしているかのどちらかで，andに関する問題はまだ完全に解決されたわけではないと述べている（⇒ 第3章）．今後の展開に注目したい．

〈「尺度含意」〉

もう1つ，表意と推意の境界に位置し，その地位が議論されている問題に「尺度含意」(scalar implicature) がある．Horn (1972) は，一般に，ある尺度表現を用いると，同一尺度上にある上位の尺度表現の否定を含意することが多いことに注目した．たとえば私たちは，(70a)「いくつか (some) 単位を落としました」と言って，「すべてを落としたわけではありません (not all)」を伝達することがある．また，(70b)「彼のことは好きです (like)」と言って，「愛してはいません (not love)」を伝達することがある．

(70) a. いくつか単位を落としました．
　　　b. 彼のことは好きです．

「いくつか」(some) や「好きだ」(like) のような表現は尺度表現と呼ばれ，それに基づいて推論される「すべてではない」(not all) や「愛していない」(not love) を，Horn (1972) は「尺度含意」と呼ぶ．問題は，「尺度含意」が発話の表出命題(基本表意)に貢献するのかどうかという点である．尺度と「尺度含意」の概念をもう少し正確に規定しよう．

たとえば，some, most, all の関係を考えると，(71a) が成立するときは必ず (71b) も成り立つが，逆は成り立たない．同様に (71b) が真であ

るときは (71c) も必ず真になるが，逆は成立しない．一般に，文脈にかかわらず p が成立する(真である)ならば必ず q も成立する(真である)とき，「p は q を伴立する」と言う．したがって，all は most を，most は some を一方向的に伴立すると言える (⇒ 廣瀬・加賀 1997).

(71) a. All people are happy.
　　　b. Most people are happy.
　　　c. Some people are happy.

このような場合，all, most, some は同一の尺度 (scale) 上にあり，all がもっとも上位で，その下に most, some が位置していると考えられる．all が意味的に一番強く，some が意味的に一番弱いとも言える．この関係を (72) のように表示することにする．Horn (1972) は，(73) なども尺度を形成しているとし，これらは「ホーンの尺度」(Horn's Scale) と呼ばれている．

(72) 　＜some, most, all＞
(73) a. ＜sometimes, often, usually, always＞
　　　b. ＜1, 2, 3, 4, 5, 6, ...＞
　　　c. ＜possible, necessary＞
　　　d. ＜warm, hot, boiling＞
　　　e. ＜cool, cold, freezing＞
　　　f. ＜like, love, adore＞
　　　g. ＜OK, good, excellent＞
　　　h. ＜or, and＞

次に，同一尺度上にある要素の間に成り立つ，語用論的関係を考えてみよう．一般に，2つの要素 P_i と P_j ($P_i < P_j$) が，＜..., P_i, ..., P_j, ...＞のように同一尺度上に位置している場合，下位の方の P_i が与えられたら，特別それを妨げるものがない限り，それより上位の要素 P_j の否定 (not P_j) が推論される．この not P_j を，Horn (1972) は「尺度含意」と呼ぶ．たとえば，some から「尺度含意」not all が推論されるということである．これは，Grice 派の考え方では，量の第1格率(必要なだけ十分な情報を

与えること)に基づく，一般化された会話の含意であると見なされる．必要なだけ十分な情報を与えても「いくらか」(some)としか表現できないのであるから，「すべてではない」(not all)だろうと推論するわけである．

同様のことは，基数詞についても言える．たとえば (74B) の three は，普通 exactly three であると解釈される．Grice や Horn や Levinson らの Neo-Grice 派の研究者は，基数詞 n の字義的意味は at least n であり，exactly n と解釈されるのは，「尺度含意」at most n (あるいは no more than n) をもつためであるとする．その過程は (74B ①–③) のようになる．

(74)　A:　How many children do you have?
　　　B:　I have three.
　　　　　①　字義的意味：　I have at least three children.
　　　　　②　「尺度含意」：　I have at most three children.
　　　　　③　伝達される意味：　I have exactly three children.
　　　　　　　(→ ① + ② = ③)

日常言語で用いられる or の意味も，基数詞とまったく同じような考え方で説明できる．たとえば (75) は，普通「ジョンは詩人か哲学者のどちらかで，両方ではない」と解釈されることが多い．

(75)　John is a poet or a philosopher.

ところが，論理学では両方当てはまる場合も真である．一般に，p と q の両方が真であるときも p ∨ q が真であるとする or は「包含的 or」，両方が真であるときは p ∨ q が真ではないとする or は「排他的 or」と呼ばれるが，日常会話では，or が排他的 or として用いられることが多い．これも，(73h) に示した and と or が，尺度 <or, and> を形成することによって説明される．つまり，尺度の弱い方の or が用いられるときには，強い方の否定 not and が「尺度含意」として引き出されるのである．

(76)　John is a poet or a philosopher.
　　　①　字義的意味：　John is a poet or a philosopher, or both.
　　　②　「尺度含意」：　John is not both a poet and a philosopher.

③ 伝達される意味： John is a poet or a philosopher, but not both. （→ ① + ② = ③）

　以上は Horn (Neo-Grice 派)の分析である．このような「尺度含意」は，(73) にあげたものを含め尺度を形成するさまざまなものに関して，特にその推論を妨げるものがなければ，一般に派生される一般化された会話の含意である(つまり発話の明示的意味ではない)と彼らは仮定している．関連性理論は，最終的に伝達される意味 (③) については同意するが，彼らの言う「尺度含意」は，発話の表出命題(明示的意味，したがって真理条件的意味)の一部であるという点において，彼らと意見を異にする．

　発話の表出命題であるかどうかを判断するテストとして，関連性理論が採用しているのは，論理演算子への埋め込みテストであった．(77) は，「尺度含意」が論理演算子の作用域に入っていることを示している．

(77) a. If each side in the soccer game got three goals, then the game was a draw.
　　 b. If some of the children have already arrived the others will be here shortly. 　　　　　　　　(Carston 1995, 237)

(77a) では，exactly three goals と理解されなければ，同点にならないので意味をなさない．(77b) においても，some and not all と解釈されなければ意味的には異常になる．このようなテスト結果に基づいて，Carston (1995, 237) は，「尺度含意」は，自由拡充によって語用論的に補われた発話の命題内容であり，発話の真理条件的内容であるとする．

　この考え方は，たとえば基数詞 n が，あるときには at least n を伝達すると解釈され，あるときには at most n, exactly n と解釈されることをうまく説明する．たとえば (78) のように，A が公衆電話から市内通話をかけようとしていて，A も B も市内通話には 10 ペンス必要であることを知っているような場合，(78A) が尋ねているのは，10 ペンスもっているかどうかということである．それに対する返答としては，少なくとも 10 ペンスもっていることがわかれば十分で，それ以上もっているかどうかについて，わざわざ労力を使って推論する必要はない．だから，B の発話は

at least 10p と解釈され，at most 10p (only 10p) のような語用論的意味は生じない．

(78)　A:　Can you help me out?
　　　B:　I have 10p.
(79)　A:　Do you have 20p?
　　　B:　I have 10p.　　　　（Carston (1995, 228) を修正引用）

一方，(79A) の関心は 10 ペンスもっているかどうかではなく，20 ペンスもっているかどうかである．それなのに B の答えは "I have 10p." で，その必要を満たしていない．そこで関連性の原則に基づいて自由拡充した結果，exactly 10p（あるいは only 10p）を表意として解釈し，20 ペンスはもっていないという推意を引き出して関連性を達成するのである．このように，表意に対する語用論的貢献を重要視する関連性理論は，同じ発話が文脈によって異なる表意を伝達することを，自然に説明することができる．以上のような議論は，「尺度含意」が表意に貢献する語用論的意味の一部であるという，関連性理論の主張を支持している．

2.4　ま　と　め

本章では，発話によって伝達される 2 種類の意味——明示的意味と非明示的意味——に焦点を当てた．この区別を言語学の世界に導入したのは，Grice (1967) である．Grice および (Neo-)Grice 派の語用論学者は，それらをそれぞれ 'what is said', 'what is implicated' として議論し，関連性理論は表意 (explicature) と推意 (implicature) という名称で区別する．

　Grice 派の理論では，'what is said' は発話の「言語的解読＋指示付与＋一義化」に相当し，かろうじて真理値を付与できる形式を整えた命題という意味で，最小命題とも呼ばれる．そして，それ以外に語用論的手段を用いて復元されるものはすべて，'what is implicated' つまり会話の含意 (implicature) と見なされる．

　一方，関連性理論は，コミュニケーションにおける推論の重要性を強調し，ことばが果たす役割は一般に理解されているよりも小さいことを，

「言語的意味の不確定性」の論題によって指摘する．この考え方に基づくと，発話の表意は，「言語的解読＋4つの語用論的プロセス(一義化＋飽和＋自由拡充＋アドホック概念形成)」によって形成され，意味論(言語的意味)と語用論(推論)の複合物であると見なされる．推意は，表意形成と相互作用しながら，純粋に文脈に基づく語用論的プロセス(推論)によって形成される．関連性理論は，表意形成に関わる語用論的プロセスも，推意形成に関わる語用論的プロセスも，同一の「関連性の原則」に導かれるものであるとする．

そして，(Neo-)Grice派の考え方と関連性理論の考え方の違いによって生じた，明示的意味と非明示的意味の境界に位置する現象について議論し，andや尺度表現に伴われる語用論的意味は，発話の表出命題(基本表意)に貢献することを示した．次の章では，関連性理論による主要な貢献の1つである，概念的意味と手続き的意味について考察しよう．

第3章　概念的コード化と手続き的コード化

　関連性理論は，発話解釈を「言語的解読」という意味論の仕事と「推論」という語用論の仕事が組み合わさったプロセスだと見なしていることはすでに見た．第2章では，そのうちの「推論」が，表意や推意の形成過程にどのような役割を果たしているかを詳述した．本章では，もう一方の「言語的解読」に焦点を当て，発話を構成する語彙や構造が，どのような情報をコード化していると考えられるかを見ることにしよう．

3.1　発話によって伝わる情報

　まずこの節では，発話によって伝わる情報の全体像を概観し，言語的にコード化されているものの位置づけや，性格，役割などを，具体例に沿って見ていくことにしよう．

　一般に，発話によって聞き手に伝わる情報には，さまざまなタイプのものがある．たとえばピーターが，メアリーの特徴あるアクセントに気づいて，彼女はスコットランド出身だと判断する場合，この情報は彼女の発話にコード化されたものではない．それは，彼女がモルトウィスキーを飲んでいるとか，タータンチェックのスカートをはいているといった情報が，発話にコード化されていないのと同じである．そして，このアクセントに基づいて得た「メアリーはスコットランド出身だ」という情報は，メアリーがピーターに意図的に伝えようとした情報ではないが，彼女の発話がピーターに顕在化させた情報である．これらは，ピーターが気づいた事実であり，メアリーに関する推論を引き出すもとになる．これらの推論は，

言語的にコード化された情報とどのような関係にあるのだろうか.

Wilson and Sperber (1993, 3) は,発話によって伝わる情報の全体像を,次のように図示している.

(1)　　　　　　　(a) 発話によって伝わる情報
　　　　　　　　　information conveyed by an utterance

(b) 意図明示的に伝達されるもの　　(c) 意図明示的に伝達されるのではないもの
　　ostensively communicated　　　　not ostensively communicated

(d) 言語的に伝達されるもの　　(e) 非言語的に伝達されるもの
　　linguistically communicated　　not linguistically communicated

(f) 言語的にコード化されているもの　(g) 言語的にコード化されていないもの
　　linguistically encoded　　　　　　not linguistically encoded

(h) 概念的にコード化されているもの　(i) 手続き的にコード化されているもの
　　conceptually encoded　　　　　　procedurally encoded

(j) 表意に貢献　　(k) 推意に貢献　　(l) 表意への制約　　(m) 推意への制約
　　contributes to　　contributes to　　constraints on　　constraints on
　　explicatures　　implicatures　　　explicatures　　　implicatures

(n) 表出命題に貢献　(o) 高次表意に貢献　(p) 表出命題への制約　(q) 高次表意への制約
　　contributes to　　contributes to　　constraints on　　constraints on
　　proposition　　higher-level　　　proposition　　　higher-level
　　expressed　　　explicatures　　　expressed　　　　explicatures

　　　　　　(Wilson and Sperber 1993, 3: 記号は引用者による)

以下,上記の図の上から順にごく簡単にたどりながら,(f) 以下の言語的コード化の2タイプ——概念的コード化と手続き的コード化——に焦点を当てて,その種類と役割を見ていこう.基本的に Wilson and Sperber (1993) の議論にしたがう.

3.1.1　発話によって伝わることと意図明示的伝達

　発話は，さまざまな想定を顕在化する．聞き手は，自分に関連性があると思われる，できるだけ多くの想定に注意を払う．このような想定はすべて発話によって伝えられる（convey される）が，そのうちのすべてが意図明示的に伝達されるわけではない．(1b)「意図明示的に伝達されるもの」と (1c)「意図明示的に伝達されるのではないもの」の区別を明確にするために，次の4つの場合を考えてみよう．

　(i)　たとえば，メアリーがピーターに話しかけたとき，彼女の声や話し方から，彼女は悲しいのだとピーターが思う．しかし，メアリーは自分の感情を隠そうとしていたとしよう．このとき，メアリーは情報意図も伝達意図ももっていない．これは，たまたま情報が伝わった例である．

　(ii)　同じく，メアリーがピーターに悲しそうに話しかける．今度は，メアリーは，ピーターに彼女の悲しみに気づいてほしいのだが，その悲しみを隠そうとしていると思ってほしい場合，彼女はピーターに悲しみを知らせる意図をもっているのだが，その情報意図がそうと認識されずに遂行されることを望んでいる．これは，隠れた (covert)（したがって，非意図明示的な）コミュニケーションが起こっている例である．

　(iii)　同じく，メアリーがピーターに話しかける．メアリーは，彼女の悲しみにピーターが気づくことを意図し，彼女がそういう情報意図をもっていることを彼にわかってほしいと思ってはいるが，彼にそれを知らせようとする高次の意図（伝達意図）を彼に知られたくないと思っているのだなと，彼が思うように意図しているとしよう．このときメアリーは，自分の悲しみをピーターに知らせることを意図しており，その情報意図が認識されることを望んでいるが，それを相互に顕在的にしないでおきたいと思っている．これも，一種の隠れた（したがって，非意図明示的な）コミュニケーションが起こっている例である．

　(iv)　次は，メアリーが悲しそうにピーターに話しかける．彼女は，その悲しみを彼に知らせることを意図し，そして，彼女のその情報意図が単に認識されるだけでなく，相互に顕在的になるようにしたいと思っているとしよう．このとき，メアリーは情報意図と伝達意図の両方をもってい

る．これが，意図明示的コミュニケーションが起こっている例である．
　(iv) は (1b)「意図明示的に伝達されるもの」の例であり，(i)–(iii) は (1c)「意図明示的に伝達されるのではないもの」の例である．(iv) の意図明示的コミュニケーションが，(i)–(iii) のような情報の伝え方/伝わり方と異なるのは，聞き手が話し手の情報意図を認識する際，話し手によって与えられる特別な助けをもつことである．すなわち，意図明示的コミュニケーションは，関連性の見込みを生み出し，関連性の原則にしたがう．その結果，その解釈過程は，最小労力の道筋をたどりながら，話し手の情報意図に関する解釈仮説を立て，その関連性をテストする．関連性の原則に一致する解釈が得られたところでストップし，その解釈を受け入れるという推論過程をとるのである．

3.1.2　言語的伝達と非言語的伝達
　(1b) の「意図明示的に伝達されるもの」は，(1d)「言語的に伝達されるもの」と (1e)「非言語的に伝達されるもの」に分けられる．たとえば，メアリーが，自分の悲しみを伝達することを意図して，悲しそうな様子でピーターと話をしているとしよう．このときメアリーは，自分の悲しみをピーターに伝達しているが，言語的に伝達しているのではない．想定が言語的に伝達されるためには，発話の言語的特性がその復元の助けになっていなければならない．
　しかし，このような声の調子や様態といったパラ言語的な手がかりが，言語的コミュニケーションにおいて何らかの役割を果たすこともある．

(2)　Peter:　Can you help me?
　　　Mary (sadly):　I can't.　　　(Wilson and Sperber 1993, 5)

(2) の例において，メアリーがピーターに期待することが，彼女が悲しいことに単に気づくだけでなく，その理由を発話の内容と結びつけ，(3) の結論に達することだとしよう．

(3)　Mary is sad that she can't help Peter.　　　(*ibid.*)

さらに，メアリーが(3)を意図明示的に伝達することを意図した場合，(3)は(2)のメアリーの発話の表意であると見なされる．

(2)のメアリーの発話は，言語的に解読された論理形式から，いくつかの語用論的プロセスを経て，完全な命題形式をもつ(4a)のような表出命題(この場合，基本表意と一致)と，それが発話行為動詞や命題態度表現に埋め込まれた(4b–d)のような高次表意をもつと考えられる．

(4) a. Mary can't help Peter to find a job.
    b. Mary says she can't help Peter to find a job.
    c. Mary believes she can't help Peter to find a job.
    d. Mary regrets that she can't help Peter to find a job.
                                                    (*ibid.*)

このとき，メアリーの発話の言語的特性が復元の助けになっているので，(4a)の表出命題だけでなく，(4b–d)の高次表意も言語的に伝達されていると見なされる．

一方，推意は，言語的に伝達される場合とされない場合の両方がある．定義にしたがうと，意図明示的に伝達される想定の中で，表意でないものが推意である．したがって推意には，発話の表意に基づく推論によって引き出されるものもあれば，ジェスチャーなどの言語表現ではないものから引き出されるものもある．前者は，言語的解読がその推意の派生の助けになっているので，言語的に伝達されていると見なされるが，後者は言語的に伝達されているとは見なされない．

ここで，真理条件的意味と表意との関係を明確にしておこう．表意は，推意と同様，真理条件をもっており，それ自体で真であったり偽であったりすることができる．しかし一般に，表出命題(基本表意)だけがその発話の真理条件に貢献すると見なされている．Wilson and Sperber (1993) は，意味論の標準的な考え方にしたがい，ある構造が表出命題に貢献するならば，そしてそのときに限り，その構造を真理条件的であるという考え方を採用している．

3.1.3 言語的伝達とコード化

(1d)の「言語的に伝達されるもの」が，すべて言語的にコード化されているわけではない．(1f)「言語的にコード化されているもの」と，(1g)「言語的にコード化されていないもの」に分かれる．たとえば，(5a, b)の発話が伴う時間的前後関係や因果関係の意味は，発話の言語的特性の助けによって回復されるので言語的に伝達されるが，言語的にコード化されてはいないと見なされる．

(5) a. Peter got angry and Mary left.
b. Mary left and Peter got angry.

そして，すでに第2章で詳細に見たように，言語的にコード化されているものと，意図明示的に伝達されるもの(表意や推意)の間のギャップは，関連性の原則に一致するという基準によって埋められる．

Blass (1989, 1990) は，ニジェール/コンゴの言語である Sissala 語を対象に，興味深い議論を展開している．Sissala 語には，and に相当する語が2つ (a と ka) あり，ある文脈では代替可能であるが，異なる意味を伝達する．a はその後に続く第2項の出来事が，一般的な普通の方法で起こったことを示唆するのに対して，ka はいくぶん特別で，予想に反する普通でないものであることを示唆する．たとえば，(6a)に相当する Sissala 語の発話は，ピーターが，暖炉などに普通のやり方で火をつけたと解釈されるのに対して，(6b)は，ピーターが火をつけたという事実か，またはそのつけ方が，予想に反するものであると解釈される．

(6) a. Peter entered the room *a* lit a fire.
b. Peter entered the room *ka* lit a fire.

この違いは，ka が「予想に反する」という意味をコード化していると考えれば説明できるように思われるが，Blass の分析は，事実はそうではないことを示している．

まず，ka は文を接続する語であり，a は動詞句を接続する語であることを Blass は指摘する．したがって，(6b)は音声的に実現されていない

S（または IP）節点と主語 NP を含み，(6a) よりも処理労力がかかる．意図する効果が (6a) によって達成できるならば，話し手はより処理労力のかかる (6b) ではなく，(6a) の方を選択するべきである．そうすると，(6b) が用いられた場合の唯一の妥当な解釈は，(6a) によって達成できない解釈であることになる．(6a) は，部屋に入って火をつけるという，典型的な百科事典的スキーマによって解釈される．一方 (6b) は，ステレオタイプではない解釈を伝えるために用いられるのだと考えられる．

　もし，「予想に反する」ことがコード化されているのであれば，ka によって接続された文は，常にその意味をもっていなければならない．一方，Blass の分析では，その意味は (6a) のような，処理労力が少なくてすむほかの選択肢が可能な場合にのみ生じるはずだと予測され，(7) はそれが正しいことを示している．

(7)　Today Peter played football *ka* Mary played golf.

(7) は，ka が用いられているが，予想に反するという解釈をもたない．この文は，2 つの等位項が異なる主語をもち，省略が不可能で，この表現方法より処理労力の少ないほかの表現の選択肢は存在しない．このような場合，Blass の分析が予測するように，「予想に反する」という意味をもたないのである．以上の議論は，ka によく伴われるこの意味が，言語的には伝達されるがコード化されてはいないことを示している．

　発話の命題を決定するのは，発話を言語的に解読しただけの論理形式ではなく，いくつかの語用論的プロセスを経て関連性の原則に一致するまで発展された命題形式(表出命題)である．発話の命題形式およびそれを埋め込んだ高次表意は言語的に伝達される．言語的にコード化されているものは，言語的に伝達されるものの一部であり，当然のことながら，コード化されている情報は，それをコード化している語(や語句)に常に伴われる．

3.1.4　概念的コード化と手続き的コード化

　(1f)「言語的にコード化されているもの」には，(1h)「概念的にコード化されているもの」と (1i)「手続き的(非概念的)にコード化されているも

の」がある．概念的コード化と手続き的コード化の区別は，Blakemore (1987) 以降の研究において展開されている．その背景にある考え方をたどってみよう．

繰り返し述べてきたように，発話の解釈過程は，概念表示の構成と操作を含み，言語的解読の出力は推論的理解の入力となる．したがって，言語構造は基本的に，2つのタイプの情報をコード化していると予測される．1つは，概念(または概念表示)であり，もう1つは，それらを操作する手続きである．

発話は，その解釈過程において，音声表示や音韻表示，統語表示や概念表示といった一連の表示を付与される．概念表示は，2つの点においてほかの表示と異なっている．まず，概念表示は論理特性をもつ．したがって，ほかの概念表示との間に伴立や矛盾といった関係を生じ，論理的推論規則の入力となりうる．第二に，概念表示は真か偽という真理値を付与することができる．したがって，何らかの事態 (state of affairs) を記述したり，部分的に特徴づけたりすることができる．

次の例を考えてみよう．

（8） Peter told Mary that he was tired.

(8)の論理形式は，(9a)のようなものだと考えられる．(9a)は，指示付与などの語用論的プロセスによって発展され，(9b)のような命題形式を付与されると考えられる．(8)の発話に用いられている told や tired などのような語は，論理形式の構成要素となる概念をコード化している．

（9） a.　X told Y at t_1 that Z was tired at t_2.
　　　 b.　Peter Brown told Mary Green at 3:00 p.m. on June 23 1992, that Peter Brown was tired at 3:00 p.m. on June 23 1992.

一方，さまざまな言語表現の中には，概念をコード化しているのではなく，その表現が現れる文や句をどのように解釈するべきかを指示する機能を果たすような表現がある．関連性理論において，発話解釈の推論的側面に対する手続き的制約を課す表現があるという考えが，Blakemore (1987)

によって提出された．たとえば，2つの連続する節からなる発話 (10) を考えてみよう．便宜上，前半を (a)，後半を (b) として分割してある．

(10) (a) Tom can open Bill's safe.
(b) He knows the combination. （Blakemore 2000, 476）

(10) の発話は，(11a) と (11b) の2つの解釈が可能である．(11a) の so や (11b) の after all は，(10a) と (10b) の各命題がどのような関係にあるものとして意図されているかを指示する働きをしている．

(11) a. Tom can open Bill's safe; *so* he knows the combination.
b. Tom can open Bill's safe; *after all* he knows the combination.

(11a) において，(10a)「トムはビルの金庫を開けることができる」は，(10b)「彼は(鍵の番号の)組み合わせを知っている」に対する証拠を与えている．一方，(11b) では逆に，(10a) の方が (10b) によって証拠を与えられている．so や after all のような談話連結詞は，概念をコード化せず，発話の真理条件に貢献しない．これらは，聞き手がどのような推論を行うことを期待されるかを指示することによって，解釈の推論的側面に制約を課しているというのである．このような表現は，意図された認知効果を生み出す方向に聞き手を導き，全体として必要とされる労力を少なくすることによって，関連性に貢献していると考えられる．

　先の節で見た，真理条件的であるかどうかとの関係を考えると，so や after all のような談話連結詞は，手続き的であり，非真理条件的であるのに対して，(8) の発話を構成している told, tired などは，概念的であり，真理条件的であると言える．ここで1つ興味深いのは，この概念的/手続き的(非概念的)という区別が，真理条件的/非真理条件的の区別と完全に一致するのだろうかという点である．以下，概念的コード化と手続き的コード化のさまざまな具体例を概観する過程で，この区別が一致するものではないことが明らかになる．

　さて，本節では，(1) の図に基づいて，発話によって伝わる情報の全体

像を捉えるとともに，その中で言語的にコード化されているものがどのような位置づけにあるかを見た．言語的にコード化されている情報には，概念的情報と手続き的情報という，2種類のものがあると考えられる．概念的情報とは，発話の概念表示の構成要素になるものであり，手続き的情報とは，その概念表示の操作(つまりは聞き手が行う推論過程)に対して指示(制約)を与えるものであった．以下では，(1)の図に基づきながら，各タイプに属すると考えられるさまざまな表現や構造について，さらにどのような下位類があるのか，その区別が，これまで述べてきた表意や推意という発話処理レベルや真理条件などと，どのような関係にあるのかについて，具体例に沿って考察することにしよう．

3.2 概念的コード化

発話によって言語的に伝達される想定には，表意と推意の2種類があり，どちらも概念表示であるので，(1h)「概念的にコード化されているもの」には，(1j)「表意に貢献」するものと(1k)「推意に貢献」するものを仮定する可能性が考えられる．概念をコード化している言語表現は，解読されて表意を表す概念表示の構成要素になる．一方，関連性理論の考え方に基づくと，解読された概念要素が直接，推意の構成要素になる可能性は考えにくい．以下順に見ることにしよう．

3.2.1 表意に貢献する概念的情報

発話は一般に，複数の表意を伝達し，(多くの場合，基本表意に相当する)表出命題と，それが命題態度や発話行為を表す表現に埋め込まれた高次表意があることはすでに見た．高次表意も概念表示であり，ほかの概念表示と伴立関係や矛盾関係を生じたり，事態を表示することができる．それ自体で真や偽になることができるにもかかわらず，高次表意は，一般にその発話の真理条件には貢献しないと考えられている．実際，(2)で見たように，Peter の "Can you help me?" に対する Mary の "(sadly) I can't." という返答によって表される命題の真理値は，「ピーターの仕事さがしをメアリーが助けられるかどうか」に基づいて決定されるのであって，「メ

第 3 章　概念的コード化と手続き的コード化　79

アリーがピーターを助けられないと言うか言わないか」や，「メアリーがそう信じているかいないか」，あるいは，「メアリーが(ピーターを助けられなくて)残念に思っているかどうか」に基づいて決定されるのではない．
　(1j)「表意に貢献」するものは，(1n)「表出命題に貢献」するものと(1o)「高次表意に貢献」するものに分けられる．順に見ることにしよう．

〈表出命題に貢献する概念的コード化〉
　概念をコード化しているもののうち，(1n)「表出命題に貢献」するものについては，これまで何度も例示してきた．名詞や動詞，形容詞などのいわゆる内容語の大部分は，一般に概念をコード化し，表出命題の構成要素となる．たとえば (12) や (14B) の発話の表出命題は，それぞれ (13)，(15) のようなものだと考えられる．

(12)　Peter told Mary that he was tired.　(=(8))
(13)　Peter Brown told Mary Green at 3:00 p.m. on June 23 1992, that Peter Brown was tired at 3:00 p.m. on June 23 1992.　(=(9b))
(14)　A:　How is Mary feeling after her first year at university?
　　　B:　She didn't get enough units and can't continue.　(= 2.3 (15))
(15)　Mary Jones didn't get enough university course units to qualify for second year study and, as a result, Mary cannot continue with university study.（時間表現など省略）　(= 2.3 (16))

(12) の told や tired，(14B) の get や enough, unit, continue などのような表現は，概念をコード化し，発話の表出命題に貢献し，したがって真理条件的である．

〈高次表意に貢献する概念的コード化〉
　(1o)「高次表意に貢献」するものとして，次のような文副詞を含む発話をあげることができる．(16a, b) の frankly や confidentially，さらに seriously などは，発語内行為副詞 (illocutionary adverbial) と呼ばれ，(16c,

d) の happily や unfortunately は，態度副詞（attitudinal adverbial）と呼ばれている．

(16) a. Frankly, I'm unimpressed.
b. Confidentially, she won't pass the exam.
c. Happily, Mary's son visited her this weekend.
d. Unfortunately, I missed the train. （Carston 1998, 89）

これらの発話の表出命題は，文頭の副詞による貢献を含んでいないように思われる．実際，上記のような文副詞は，発話の真理条件に貢献しないものとして扱われ，Recanati (1987) は happily に関して次のように述べている．

(17) その副詞を削除しても，その文によって表される命題に変化はないだろう．なぜなら，その副詞によってなされる修飾は，その命題に対する話し手の感情的態度に関するもので，当該命題の外になされるからだ．この態度は，「陳述される」(stated) のでも「記述される」(described) のでもなく，「指示される」(indicated) にすぎない． （Recanati 1987, 501）

これらの発語内行為副詞や態度副詞は，真理条件に貢献していないと考えられる．しかし，手続き的情報をコード化しているわけでもなく，やはり概念をコード化していると考えるべきだとして，Wilson and Sperber (1993) は，その概念的コード化に関して次のような証拠を提示している．

発語内行為副詞としての seriously や frankly, confidentially が真理条件に貢献しないとしても，それらが (18) のように様態副詞として働く場合，発話の真理条件に貢献する概念をコード化しているとして扱わなければならないのは，明らかである．

(18) a. Mary told Peter seriously that she couldn't help him.
b. Mary said frankly to Peter that she couldn't help him.
c. Mary informed Peter confidentially that she couldn't help him. （Wilson and Sperber 1993, 17）

したがって，(16)における発語内行為副詞も概念をコード化していると考えるのが，もっとも単純で妥当である．

それでは，(16)と(18)の違いは何かというと，上記の表現が様態副詞として現れる(18)では，そのコード化されている概念が表出命題に貢献しているのに対して，発語内行為副詞として現れる(16)においては，その概念は高次表意に貢献するという点である．もしこの考え方が正しければ，発語内行為副詞が(16a, b)の真理条件に貢献しないという事実は，高次表意が真理条件に貢献しないという，より一般的な事実から自然に生じる．そして，この分析は，seriously のような発語内行為副詞を，発話の表出命題に貢献するのではなく，遂行される発話行為のタイプを修飾するものとして分析する，標準的な発話行為的説明ともうまく整合する．

実際，(16a, b)の発語内行為副詞は，(19a, b)に示したように，高次表意を構成する発話行為動詞の修飾語のスロットに，きれいにおさまる．(16c, d)の態度副詞についても同様である．

(19) a. I tell you *frankly* that I'm unimpressed.
b. I inform you *confidentially* that she won't pass the exam.
c. It is a *happy* eventuality [for X] that Mary's son visited her this weekend.
d. It is *unfortunate* that the speaker missed the train.

一方，発語内行為副詞が手続き的情報をコード化していると仮定すると，いくつかの深刻な問題にぶつかる．まず，発語内行為副詞を伴う(20)のような発話は多義的で，(21)に示した2つの解釈が可能である．

(20) Seriously, are you leaving?
(21) a. I ask you seriously whether you are leaving.
b. I ask you to tell me seriously whether you are leaving.

概念をコード化しているとする分析では，seriously が高次表意に現れる ask を修飾しているのか，tell を修飾しているのかで，上記の多義性を説明できる．一方，手続き的分析では，この多義性がどのように説明できる

のか,不明である.

　第二に,文副詞には定型句として用いられるものもあるが,(22)に斜字体で示したように,複数の単語を用いてその場で作り上げられた,意味論的に複雑なものも多い.このような文副詞が,各構成素の意味と文法関係によって全体の意味が決定されるという側面(意味の合成性,compositionality)をもつことは,概念的分析では通常どおりの解釈規則にしたがえばよく,驚くべきことではないが,手続き的分析では何を意味するのか,不明である.

(22)　a. *Speaking frankly, though not as frankly as I'd like to*, he isn't much good.
　　　b. *In total, absolute confidence*, how are you getting on with Maria?　　　　　　　　(Wilson and Sperber 1993, 18)

　第三に,(23),(24)に示すように,発語内行為副詞は,真偽判定の対象になることができる.概念表示は,それ自体で真であったり偽であったりすることができるので,概念的分析では下記のような対話は問題にならないが,手続き的分析ではどのように説明できるのか,不明である.

(23)　Mary:　Frankly, this steak is less than perfect.
　　　Peter:　That's not true. You're not being frank.
(24)　Mary:　Seriously, what a gorgeous tie.
　　　Peter:　That's not true. You're never serious.　　(*ibid.*)

　以上の考察が示していることは,文副詞の中でも発語内行為副詞や態度副詞は,基本的に高次表意に貢献する概念をコード化し,非真理条件的であるとして特徴づけることができるということである(⇒ Wilson and Sperber 1993; Ifantidou-Trouki 1993; Ifantidou 1994).したがって,概念をコード化していることが,すなわち真理条件的意味をもつことを意味するわけではないことになる.このほか,概念をコード化し高次表意に貢献するものとして,挿入句や同格標識(apposition marker)が指摘されている(⇒ Ifantidou 1993, 1994; Rouchota 1998; Blakemore 1996).

以上のように，概念的情報をコード化するものには，表出命題に貢献するものと，高次表意に貢献するものがある．概念的であることは必ずしも真理条件的であるとは限らず，表出命題に貢献する概念的情報は真理条件的であるが，高次表意に貢献するものは基本的に非真理条件的である．次に，概念的情報が推意に貢献する可能性について簡単にふれておこう．

3.2.2 推意に貢献する概念的情報はあるか

関連性理論の考え方に基づくと，概念をコード化している言語表現が，解読されて表意を表す概念表示の構成要素になることはすでに示したとおりであるが，解読された概念要素が直接，推意の構成要素になる可能性は考えにくい．関連性理論においては，推意は純粋に推論によって派生されると考えられているからである．しかし，Grice および Neo-Grice 派の研究者は，コード化された概念が implicature に貢献すると考えているようである．

すでに 2.2 節で見たように，Grice は，真理条件に貢献しないコード化された意味を，言語慣習含意 (conventional implicature) として分析している．Blakemore の談話連結詞に関する研究は，Grice の言語慣習含意を，手続き的視点から再分析したものだと見なすことができる．Grice は，概念的／手続き的という視点から述べてはいないが，implicature という用語を用いていることから，but, moreover, so, on the other hand のような談話連結詞がもつ言語慣習含意を，概念的なものと見なしていると考えられる．これは，慣習含意を，会話の含意と同じように，それ自身の真理条件と真理値をもつ別個の命題だ，と Grice が見なしていることを示唆している．

先の節で行った区別を当てはめると，Grice の言語慣習含意は，言語的にコード化された概念表示であり，implicature に貢献するものとして扱われていることになる．一方，関連性理論は，上記のような談話連結詞を，概念的情報をコード化しているのではなく，推論の仕方を指示する手続き的情報をコード化しているものと分析する．

両者の so に関する分析を比較検討することによって，上記のような談

話連結詞にコード化されている情報が，Grice が考えるように概念的であるのか，Blakemore の言うように手続き的であるのかを検討しよう．

Grice によると，(25) に用いられている so は，話し手が「説明という発話行為を遂行している」ことを示し，(25a) は (25b) の説明として提示されている．一方 Blakemore によると，so は，その後に続く想定を推論の帰結(文脈含意)として処理することを指示する，推論的連結詞であると主張する．

(25) a. It's raining.　　b. So the grass is wet.

(25) は，どちらの分析でも説明できるように思われるが，Grice の分析は，説明の対象になる前半の節が存在しない (26) のような例には，適用できない．(26) は，妻が山ほどの買い物包みをもって帰宅したのを見た，夫の発話である．

(26) So you've spent all your money.　　(Blakemore 1988b, 189)

この例では，妻がお金を使い切ってしまったという事実を，夫が「説明」しているのではなく，「山ほどの買い物包みをもって妻が帰宅した」という観察から，夫は「妻がお金を使い切ってしまった」という帰結(文脈含意)を引き出しているのである．Blakemore の分析は，(26) をうまく説明できる．

さらに，(27) のような例を Grice は説明することができない．(27a) は (27b) の間接発話的報告であるが，どちらにおいても話し手は「説明」という発話行為を行っていないし，(ピーターは発話したのではないから)いかなる発話行為もピーターに帰属させてもいない．話し手は，ピーターのことばではなく，思考を報告しているのである．

(27) a. Peter thought that Mary had a holiday, so he should have one too.
　　　b. Peter thinks, 'Mary had a holiday, so I should have one too.'

一方，(27) に Blakemore の推論的説明は適用できる．(27) の話し手自

身が推論(帰結)を引き出しているのではないが，ピーターにその推論を帰属させているのである．

実際，「言語慣習含意」をもつとされる so, now, well, moreover, however などの談話連結詞は，概念的なことばで捉えようとするのが難しいことで，悪名高い．もし now や well が命題をコード化しているのであれば，どうしてそれが意識にのぼるようにすることができないのか．手続き的説明は，この疑問に答えることができる．すなわち，概念表示は意識にのぼらせることができるのに対して，手続き的情報はできないのである．私たちは，発話解釈に用いられる文法計算にも推論計算にも，直接的なアクセスをすることができない．談話連結詞の手続き的分析は，それらがコード化している情報へ直接アクセスできないことを説明することができるのである．

以上，so などの談話連結詞に関して，言語慣習含意をもつと考える Grice の分析を，手続き的情報をコード化すると考える Blakemore の分析と比較した．前者は，(1k) の推意に貢献する概念をコード化しているものとして，談話連結詞を扱っていることになる．しかし，比較検討の結果，手続き的分析の方が妥当性が高いことが示された．すなわち，解読された概念要素が直接推意の構成要素になるような言語表現の存在は，考えにくいということである．次に，手続き的コード化について見ることにしよう．

3.3　手続き的コード化

手続き的情報のコード化に関する研究は，Blakemore (1987) 以来盛んに行われ，発展してきている．手続き的情報というのは，概念表示の構成要素になるものではなく，概念表示の操作に関する指示であり，発話解釈過程において，聞き手が行う推論処理の仕方に制約を課す情報であった．このような情報が話し手によって与えられることによって，聞き手がとるべき推論の方向が指示され，無駄な労力を使わず効率よく意図された効果を得る助けになる．そういう意味で，発話の関連性に貢献するのである．この節では，このような手続き的情報がコード化されているものを扱う．

(1i)「手続き的にコード化されているもの」は，(1l)「表意(を形成する際の手続き)への制約」と(1m)「推意(を形成する際の手続き)への制約」に分けて考えることができる．後者については，すでに so などの例について簡単にふれているので，こちらから見ることにしよう．

3.3.1　推意に関わる推論への制約

3.1.4 節において，手続き的情報をコード化している so と after all について，簡単にふれた．ここで (11) を (28) として便宜上繰り返す．

(28)　a.　Tom can open Bill's safe; *so* he knows the combination.
　　　b.　Tom can open Bill's safe; *after all* he knows the combination.

P と Q がそれぞれ節(したがって命題)を表すとすると，P; so Q という形式をとる発話も，P; after all Q という形式をとる発話も，それらが表現している命題は P と Q である．しかし，これら 2 つの命題がどのような関係にあるものとして解釈されるかが異なるのであった．P; so Q は，その発話の推論的解釈において，P が前提で，Q がそれから引き出される帰結であると解釈され，P; after all Q では逆に，P に対する証拠を Q が提示し，P が帰結で，Q がそれを引き出す前提であるように解釈される．これらの表現は，命題間の推論関係を指示している．

次の例に見られる therefore や moreover，but や nevertheless も，同様に，命題間の推論関係に影響を及ぼす働きをしているように思われる．

(29)　a.　He is an Englishman; *therefore*, he is brave.
　　　b.　He is an Englishman; *moreover*, he is brave.
　　　　　　　　　　　　　　　　　　　　　　(Blakemore 1988b, 184)
　　　c.　She is a linguist, *but* she is quite intelligent.
　　　d.　She is a linguist. *Nevertheless* she is quite intelligent.
　　　　　　　　　　　　　　　　　　　　　　(Blakemore 2000, 479)

therefore は，上記の so と非常によく似た働きをしていることに気づく

だろう．実際 Grice (1975) は，(29a) について，「この therefore は，he is brave (Q) が he is an Englishman (P) の帰結であることを示している」と述べている．また (29c, d) に示した but と nevertheless もよく似た働きをし，P but Q という形式をもつ発話も，P; nevertheless Q も，P と Q の間に何らかのコントラストがあるように解釈する．

　Blakemore は，このようなよく似た表現を詳細に比較することによって，それぞれがコード化している手続き的情報を明確にする方法をしばしば採用する．以下では，so と therefore，but と nevertheless という 2 組の表現を取り上げ，それらがコード化している手続き的情報を考察しよう．

〈So と Therefore〉
　so が接続する 2 つの命題の関係は，一見多様であるように思われるかもしれない．(30) において，so の後続命題は，先行命題を証拠として，それから引き出された帰結であると理解される．

　(30)　There was $5 in his wallet. So he hadn't spent all the money.
　　　　　　　　　　　　　　　　　　　　　　　　(Blakemore 1988b, 184)

一方 (31) では，so の後続命題は因果関係の結果として解釈され，先行命題はその原因と見なされる．

　(31)　a.　Tom ate the condemned meat. So he fell ill.
　　　　b.　Bill insulted Mary. So she left.

(31a) では，「トムが有害だとわかっている肉を食べた」ことが原因で，「彼が病気になる」という結果が生じた．(31b) では，「ビルがメアリーを侮辱した」ことが原因で，「メアリーが去る」という結果が生じたということである．一方，(30) の 2 つの命題の間には，このような因果関係は成立していない．(30) では，「彼の札入れに 5 ドルあった」ことが原因で，「彼がお金をすべて使ったわけではない」という結果が生じたのではない．

　このような一見多様に見える so のデータに基づき，Blakemore (1988b, 190) は，「so は，それが導入する命題が，直接アクセス可能な何らかの

命題(たとえば直前に表現された命題)の文脈含意として解釈しなければならないことを指示することによって，その命題の関連性を制限する」表現だと分析する．文脈含意とは，処理の対象である発話の命題(新情報)と文脈既存の想定(旧情報)を前提として，演繹推論の結果引き出される帰結である．

(30) では，「札入れに 5 ドルあった」という発話の命題と，たとえば「財布にいくらかお金があるなら，お金をすべて使ったわけではない」というような文脈想定を推論の前提として，so に後続する「お金をすべて使ったわけではない」が文脈含意となるような処理の仕方をしなさい，という指示がなされていることになる．因果関係を表す (31a) でも，「トムが有害な肉を食べた」という先行発話の命題と，「有害な食物を食べると病気になる」のような文脈想定を推論の前提として，so に後続する「トムは病気になった」が文脈含意となるような処理の仕方をしなさい，ということを指示していると考えられる．so にコード化されている意味は，どちらの場合も同じなのである．異なるのは，因果関係を表す例では，前提として補われる文脈想定(ここでは「有害な食物を食べると病気になる」)が，2 つの「出来事」の一般化された因果関係を表すものであるということにすぎない．

さらに，so と therefore を比較することによって，その特徴がはっきりする．so と therefore の相違点として，Blakemore (1988b) は，次の 3 点をあげている．まず第一に，so は，後続命題 (Q) の関連性が，先行命題 (P) の文脈含意であるという事実にあることを示すために用いることができるが，therefore はそうではない．たとえば，Q が P の意義を特定するものとして解釈されなければならないことを示す then を加えると，(32a) は容認されるが，(32b) は容認されない．

(32) a. There's $5 in my wallet. So I didn't spend all the money then.
b. There's $5 in my wallet. ??Therefore I didn't spend all the money then. (Blakemore 1988b, 188)

第3章　概念的コード化と手続き的コード化　89

　第二に，先行命題 P が言語表現ではないような場合でも，Q を導入するのに so を用いることができるが，therefore は用いることができない．先の (26) でも見たように，買い物包みを山のようにかかえて帰宅した妻に対する夫の発話として，(33a) は容認されるが，(33b) は容認度が低くなる．

(33)　a.　So you've spent all your money.
　　　b.　?Therefore, you've spent all your money.

therefore は，事実性の保証を伴う発話された先行命題によって後続命題を証明しようとする場合に，適切に用いられるのに対して，so は，何かを証明しようとしているのではなく，後続命題が，その状況において顕在的になっている想定から引き出せる文脈含意であることを示している．so の場合，先行命題は言語表現によって表される必要はないのである．

　第三に，話し手が言ったことの「意味」を聞き手が理解できないような状況において用いられる返答は，"So?" や "So what?" であって，"Therefore?" ではない．このような状況における聞き手の問題は，話し手が言ったことばの内容が理解できないのではなく，それが要するに何を意味しているのかがわからない，少なくとも，何か価値あることを意味しているとは理解できない，ということである．"So?" は，あなたの発話の文脈含意が何なのか特定してくださいという，相手に対する要請である．このように考えると，次のようなピーターとメアリーの会話もうまく説明できる．

(34)　Peter:　There's $5 in my wallet.
　　　Mary:　So you didn't spend all the money.

このとき，メアリーは，ピーターがお金をすべて使ったわけではないと証明しているのではなく，単に，これがピーターの意図していることなのね，とチェックしているにすぎないのである．

　上記の考察に基づいて，「so は，so の後に続く発話が，(先行発話やその場の状況などの) 相互に顕在的だと仮定される情報によってアクセス可能になった想定から引き出される帰結になるような，そんな推論を，聞き

手は遂行するべきだという情報をコード化している」(Blakemore 2000, 478) のだと分析される．1.2.3 節で述べたように，認知効果には，(a) 文脈含意が認知環境に加えられる場合，(b) 既存想定の確信度を強める場合，(c) 既存想定が削除される場合，の 3 つの種類がある．したがって so は，意図された認知効果の種類が (a) であることを直接特定することによって関連性を制限する表現である，と言える．

同様に，but も認知効果に対する制約であり，この場合は認知効果 (c) を指示するものだと考えられる．それに対して nevertheless は，文脈の選択を直接特定する表現であり，その点が but との違いである，と Blakemore (2000, 478) は主張する．but と nevertheless の違いを見てみよう．

〈**But と Nevertheless**〉

but や nevertheless はどちらも，コントラストを表すマーカーとして一緒に分類されることが多い．(35) が示しているように，but を nevertheless で置き換えることができる例があることは，両者の区別がやさしいことではないことを示唆している．

(35) a. She is a linguist, but she is quite intelligent. （= (29c)）
b. She is a linguist. Nevertheless she is quite intelligent.
(= (29d))

一方 (36), (37) のように，but を含む発話は容認されるが，nevertheless に置き換えると容認されないか，あるいは奇妙に思われるような発話がある．このような例は，but と nevertheless には違いがあり，それがどのような違いであるかを見つける手がかりを与えてくれる．(36) は，聞き手がピザの最後の 1 切れを食べているのに話し手が気づいた状況での発話だとしよう．

(36) a. But I told you to leave some for tomorrow.
b. ?Nevertheless, I told you to leave some for tomorrow.
(37) a. A: We're ravenous. Can we have that pizza in the fridge?
B: Sure. But there's not very much left.

b. A: We're ravenous. Can we have that pizza in the fridge?
B: ?Sure. Nevertheless there's not very much left.

Blakemore (2000, 479) は，(35a) のような but の例について，「聞き手は，第2節 (but に後続する節) が，第1節 (but に先行する節) から引き出される命題と矛盾し，それを削除することになる命題を伝達するように解釈するのを許すような文脈想定にアクセスすることが期待される」と述べている．

(38) She is a linguist, but she is quite intelligent. (= (35a))
(39) a. All linguists are unintelligent.
b. She is not intelligent. (Blakemore 2000, 479)

(38) の聞き手は，but に先行する she is a linguist を，(39a) のような文脈想定とともに推論の前提として，(39b) のような文脈含意を引き出す．そして，それが but に後続する she is quite intelligent という発話の表出命題と矛盾することによって，この第1節によって引き出された命題 (39b) を削除するような処理 (推論) の仕方をする．この処理の仕方が，but にコード化された手続き的情報であると考えられる．なぜなら，たとえば (38) から but を削除した場合，「彼女は言語学者だ．(だから) 彼女はとても聡明だ」のような解釈が可能であり，必ずしも，第1節から引き出された命題を削除するような処理の仕方は要求されないからである．

(38) は，第1節によって引き出された命題が，後続節の表意と矛盾する場合であったが，後続節の推意と矛盾する場合もある．たとえば A と B が経済状況について議論していて，経済の専門家に相談するべきだと結論を出した状況において，(40A) の発話は，「ジョンに相談するべきではない」を推意として伝達し，(40B) の発話は，「彼に相談するべきだ」を推意として伝達する．そして，B の but を伴う発話は，先行する A の発話の推意「ジョンに相談するべきではない」を削除することによって関連性が達成されることを指示していると分析される．

(40) A: John is not an economist. (→ We shouldn't consult him.)

> B: But he is a businessman. ($\to$ We should consult him.)
>
> （Blakemore 1987, 130）

　この場合も，このような処理の仕方をするのは but があるからである．実際，B が but を伴わずに，"He is a businessman." とだけ言ったとしたら，この矛盾は必ずしも生じない．B が「なるほど彼はビジネスマンだ（から，相談するのに適切な人物ではない）」と，A に同意していると解釈することも可能である．すなわち，先行発話の推意と後続発話によって伝達されるものが矛盾するように解釈するのは，but の働きのためであることになる．

　以上のように but は，その後続節によって（明示的または非明示的に）伝達される命題と，先行節（または先行状況）から派生される命題（推意）が矛盾し，先行節の推意が削除されるように後続節を処理せよという指示を聞き手に与える語である，と特徴化することができる．これが，but のコード化している手続き的情報である．but は，認知効果のタイプ (c)（既存想定の削除）によって関連性を達成することを指示している，と言うこともできるだろう．

　一方，nevertheless は，2つの手続き的情報をコード化していると Blakemore (2000, 481) は分析する．1つは，① nevertheless に続く発話が，先行談話において関連性が確立された疑問に対する回答として関連性があるという手続き的情報．もう1つは，② これらの認知効果が，反対の回答に対する証拠を提供するような文脈において派生されるべきものであるという手続き的情報である．次の例を考えてみよう．

> (41) A: There's going to be quite a crowd tonight. Is there going to be enough food?
>   B: Well, there's lots of salad and bread, and plenty of cheese. **Nevertheless I think I might make another pizza.**
>
> （Blakemore 2000, 480）

(41B) の nevertheless 以下の太字の発話は，A が提示した質問に対する答えは，"No, there isn't enough food." であることを文脈的に含意する

(上記①).一方(41B)の前半の発話は,それと反対の "There is enough food." を文脈的に含意し,nevertheless 以下の節は,このような反対の回答に対する証拠を提供するような文脈で計算される(上記②).

but の場合と異なるのは,nevertheless を伴う発話のポイントが,先行節から引き出された想定の削除にあるのではなく,逆に,後続節から引き出される回答と反対の答えにも妥当性があるということを指示することに,その関連性がある.言い換えれば,nevertheless に続く発話を生み出す際に,話し手は,先行発話によって提示された質問に対する答えは協議されるべき問題であり,一方の答えを支持する証拠は,先行文脈で与えられるそれとは反対の答えを支持する証拠と,比較検討されなければならないことを示唆している.証拠の比較検討の後,聞き手は反対の答えを削除するかもしれない.しかし,これは nevertheless にコード化されている情報の結果ではないと,Blakemore (2000, 481) は主張する.

nevertheless は,(41)のように先行文脈で明示された疑問文に対する回答を提示する場合もあるが,非明示的な疑問に対する回答として機能する場合もある.たとえば(42)では,nevertheless に続く節は,予期せぬことを処理する方策が未熟な外国語学習者のカリキュラムに含まれるべきかどうかという疑問に対する回答として,関連性がある.しかし,この疑問は著者が明確に提示したものではなく,読者が推論したものである.

(42) Inexperienced language learners often express fears about jumping into conversations in a foreign language because they fear the unexpected. It is natural that learners in the early stages of learning should feel a need to stay firmly in familiar territory. **Nevertheless**, the unpredictable nature of much communication is a feature of naturally occurring language, and teachers have a responsibility to gradually expose learners to such language and enable them to develop strategies which will help them cope.
(Blakemore 2000, 481)

この例で,nevertheless に続く節によって伝達される回答は Yes である.

しかし，その関連性の計算は，回答が No であることを示唆するような文脈でなされることを読者は期待されている．ここでもやはり，nevertheless の機能は，節の最初の部分で関連性が確立された疑問に対して，すでに与えられた回答とは反対の回答が存在するということを示すことである．

nevertheless に続く発話によって伝達される回答は，すでに与えられた回答の反対である．別の言い方をすれば，直接アクセス可能な文脈で与えられた回答の反対である．この情報は，一見 but によってコード化されている情報——矛盾の同定と削除——と，まったく同じであるように思われるかもしれない．しかし，すでに見たように，but の場合とは異なり，nevertheless の矛盾は，解決すること(つまり既存想定を削除すること)を意図されてはいない．つまり，nevertheless にコード化されている情報は，意図された「効果」に関する「情報」ではなく，その発話が解釈されるべき文脈についての情報なのだと Blakemore (2000, 482) は分析する．

以上のように，but は，後続節によって伝達される命題と，but に先行するものから派生される命題が矛盾し，後者が削除されるような発話処理をせよという手続き的情報をコード化しており，nevertheless は，(1) 後続節が，先行談話で関連性が確立された疑問に対する回答として関連性があり，(2) その認知効果は，後続節とは反対の回答に対する証拠を提供するような文脈において派生されるべきものだという，2つの手続き的情報をコード化しているとすると，たとえば先にあげた (37) (= (43)) の容認性の違いが説明される．

(43) a. A: We're ravenous. Can we have that pizza in the fridge?
    B: Sure. But there's not very much left.
  b. A: We're ravenous. Can we have that pizza in the fridge?
    B: ?Sure. Nevertheless there's not very much left.

(43a) において，but の先行発話 "Sure." は (44a) を推意として伝達し，but の後続節は (44b) を同じく推意として伝達する．

(44) a. There is enough pizza for A and her friends.
  b. There is not enough pizza for A and her friends.

but の後続節の意図された関連性が，"Sure." に基づいて (44a) を引き出す推論が妥当ではないことを示唆し，(44a) を削除することにあるのは明白である．B が (44a) を否定することが関連性のあることだと考えたのは，そうしなければ，B の "Sure." という発話を，(44a) が真であることの証拠だと A が理解するだろうと思ったからである．

この場合，(44b) の事実性について A はまったく疑問をもっておらず，but 節は残っているピザの量に関する疑問の答えとして，関連性があるのではない．そのため，but を nevertheless に置き換えた (43b) の B は，奇妙に思われる．つまり，nevertheless の後続節が，先行談話において関連性が確立された疑問に対する回答として関連性があるという，その手続き的情報 ① を満たすことができないので，不適切になると説明される．

以上，推意への制約の手続き的コード化の例としてごく簡単にふれた表現も含め，so, therefore, after all, moreover, but, nevertheless を考察した．これらの表現が，聞き手が認知効果を効率よく達成するために，どのような方向に推論を導く働きをしているのかという視点から，大まかにまとめると次のようになる．

(45) 〈認知効果に対する制約〉
　　　① 文脈含意： so, therefore
　　　② 強化： after all, moreover
　　　③ 既存想定取り消し： but
　　〈文脈に対する制約〉
　　　① 疑問に対する回答が矛盾する文脈： nevertheless

次節では，表意を派生する際の推論に対して制約を課すような手続き的コード化の例を考察しよう．

3.3.2 表意同定に関わる推論への制約

表意には，伝達される表出命題に相当する基本表意と，それを埋め込んだ高次表意があるので，概念的コード化の場合と同様，(11)「表意 (を形成

する際の手続き)への制約」には，(1p)「表出命題への制約」と(1q)「高次表意への制約」をコード化しているものが存在すると考えられる．

〈表出命題への制約：人称代名詞〉

I や you のような人称代名詞は，表出命題を形成する際の手続き的情報をコード化し，その結果，真理条件的性格をもつ．簡単に言ってしまえば，これらの人称代名詞は，それが指している対象(人)を確定する(さがし当てる)ための情報をコード化しており，確定された指示対象の概念表示は表出命題の構成要素になり，真理条件に貢献するのである．

Benveniste (1966, 252) は，I は「I のトークンが現れる発話の話し手 (the speaker)」を意味すると述べている．このような I が「話し手」を意味するという主張は，Kaplan (1989) が指摘しているように，それが概念的に理解されるか手続き的に理解されるかによって，異なる結果になる．

たとえば，デイヴィッド・カプランが(46)を発話するとしよう．

(46)　I do not exist.

このとき，もし I が話し手という概念をコード化しているとするのであれば，(46) は (47a) のような命題を表していることになる．しかし，もし I が，まず話し手が誰であるかを同定することによって，I の指示対象を確定するための指示をコード化しているものとして扱うのであれば，(46) は (47b) の命題を表していることになる．

(47)　a.　The speaker of (46) does not exist.
　　　b.　David Kaplan does not exist.

この 2 つの命題は，真理条件が異なる．(47b) は，デイヴィッド・カプランが存在しないすべての状況において，真である．(47a) は，(46) が発話され，その話し手が存在しないような状況において，真である．そのような状況は不可能なので，もし (46) が (47a) の命題を表すのであれば，それは必然的に偽になる．しかし実際には，(46) は必然的に偽であるわけではないと Kaplan (1989) は主張する．(46) は，(47a) ではなく

(47b) を表すものとして理解されなければならないのである.
　そのため Kaplan は，表現の内容（content）と性格（character）を区別することを提案する．(46) の I の内容はデイヴィッド・カプランという個体である．I の性格は，与えられたどのような文脈においてもその内容を同定するための規則である．Kaplan は次のように述べている．

(48)　そのような規則は，指標表現のあらゆる可能な生起に対して，その指示物が何であるかを私たちに教えるが，その規則が，指標表現の内容を構成することはない．指標表現は直接的に指示的である．その規則は，指示されているものが何かを私たちに教えてくれる．このようにして，その規則は，指標表現の特定の生起に関して，その内容(命題の構成要素)を決定する．しかし，それら(の規則)は，内容の一部ではないのである(それらは，命題の構成要素のいかなる部分も構成していないのである).
(Kaplan 1989, 523)

先の節で行った区別を当てはめると，内容は概念要素であり，規則は手続き的情報に当たる．そしてこの主張は，I などの代名詞は真理条件的であり，かつ手続き的であるという主張に相当する．この代名詞に関する分析も，概念的／手続き的の区別が真理条件的／非真理条件的と一致するのではないことを示している．

〈高次表意への制約：法標識〉
　これまで，手続き的コード化に関して，談話連結詞と代名詞という 2 つのタイプの表現を見たことになる．どちらも，意図された解釈にたどり着くために検索されなければならない仮説の範囲を狭めることによって，解釈の推論的側面に制約を課すものであった．談話連結詞は，推意に制約を課し，意図された文脈や文脈効果をさがすガイドをする．代名詞は表出命題に制約を課し，意図された指示物をさがすガイドの役割をする．そしてその指示物は，表出命題の一部になる．
　このような考察は，もう 1 つ別のタイプの手続き的表現がある可能性を

示唆する．発話の高次表意に制約を課すものである．Wilson and Sperber (1993) は，そのような役割をするものとして，疑問文や命令文といった法標識 (mood indicator) をあげている．

　平叙文とそれに対応する非平叙文が，同じ命題を表すが異なる発話行為を遂行することは，発話行為理論以降よく知られている．関連性理論において，平叙文とそれに対応する非平叙文の意味論的相違は，それらが伝達する高次表意の違いとして分析される．たとえば，平叙文発話は saying that の例として扱われ，命令文発話は telling to の例として扱われる．

　この提案は，先の人称代名詞 I に関する分析の場合と同様，2つの異なる方法で理解されうる．たとえば，次の (49) のメアリーの発話を，the speaker says that she can't help Peter という高次表意を概念的にコード化しているものとして扱う可能性がある．

(49)　Peter:　Can you help me?
　　　 Mary (sadly):　I can't.

このように理解されると，この提案は何年も前に捨てられた遂行仮説と同じものになってしまう．関連性理論において提案されているのは，コード化されているのは概念表示ではなく，概念表示を構成するためのヒントの集合だということである．この高次表意の内容は，部分的に文脈の情報によって決定され，発話の発語内的力は，抽象化された saying that や telling to などよりもはるかに豊かな概念によって特定される．Sperber and Wilson (1986) は次のように述べている．

(50)　平叙文であるとか，命令法，疑問文の語順などのように，発語内的力を示すものは，話し手の情報意図のかなり抽象的な特性，すなわち，関連性が追及されるべき方向を顕在的にしているにすぎない．　　　　　　　　　　　　　　(Sperber and Wilson 1986, 254)

すなわち，発語内的力を示すものは，高次表意の推論的構成に対する手続き的制約をコード化していると見なされるべきである．

　よく知られているように，英語において法や語順によって遂行される機能は，ほかの多くの言語においては，談話不変化詞や発話内不変化詞に

よって遂行されている．たとえば，フランス語のある方言には疑問の不変化詞 ti があり，語順倒置がほかの方言で果たしているのと同じ機能を遂行しているようである．もし，語順倒置が概念をコード化しているのではなく，高次表意への制約をコード化しているとする分析が正しいのであれば，ti のような発語内不変化詞も同様に分析されるべきだろう．おそらく，英語の疑問の不変化詞 eh も，同様の分析の候補だと考えられる．huh のような，不同意の態度を表す談話辞も，同様の分析が可能かもしれない．この領域には，まだまだ手つかずのところがたくさんある．

3.4　単語の意味の可能性

これまでの議論に基づいて，コード化されている情報は，概念的情報か手続き的情報の2つに分けるのが妥当であるとすると，語(句)や構造には，論理的可能性として，4つの種類があることになる．1) 概念的情報だけをもつもの，2) 手続き的情報だけをもつもの，3) 概念的情報と手続き的情報の両方をもつもの，4) 概念的情報も手続き的情報ももたないもの，の4種類である．

4) のどちらの情報ももたないものについては，その表現の存在価値に少々疑問が生じ，実際存在するかどうかは不明である．1) の概念的情報だけをコード化している語としては，「月」や「犬」，tired や happy などのいわゆる内容語が当てはまり，2) の手続き的情報だけをもつ語としては，so や after all などが当てはまる．本節では，これまであまり議論されてこなかった，3) の概念的情報と手続き的情報の両方をコード化しているような語や構造の可能性を探ることにしよう．

Yoshimura (1992) や吉村 (1999a) は，any や ever といったいわゆる否定極性項目 (Negative Polarity Item) が，概念的情報と手続き的情報の両方をコード化しているものと見なすことができる可能性を示唆している．たとえば，代表的な否定極性項目の ever が本来的にもっている概念的情報は，それを含んでいる発話の命題に，時間における全称量化の枠組みを加えることだと考えられる．

まず (51) を考えてみよう．たとえば (51) から ever を取り除いた場

合，もてなしの申し出は「(今後3年は日本にいるので，その間に)日本に来られたらお立ち寄りください」というように，時間的に暗に制限されている場合にも用いられる．それに対してeverがある場合には，「(今後，将来いつでも)日本に来られることがありましたら，お立ち寄りください」というように，今から先のすべての時を領域とする任意の時を指している，と解釈されなければならない．同様に(52)のeverがない場合には，たとえば「(今朝)朝食を食べましたか」というように，暗黙の時間枠がある場合に用いられるが，everがあると間違いなく時間枠は「生涯のうちで」になり，「(生まれてから今までのうちで)朝食を食べたことがありますか」という，少々特殊な文脈が必要な解釈が要求される．

(51) If you (*ever*) come to Japan, visit me. （吉村 1999a, 173）
(52) Have you (*ever*) had breakfast?
（内田聖二氏との私信による）

実際everは，その時間に関する全称量化の概念と両立不可能な，this timeやin a few minutesのような要素を含む次のような例においては，容認されない．

(53) #If I *ever* fail this time, I would not try again.
(54) #If you *ever* touch me in a few minutes, I'll scream.
（吉村 1999a, 174）

以上のような観察は，everの概念的貢献が，それらを含む発話の命題に全称量化の枠を与えることだということを示している．そして，anyやever, lift a fingerやbudge an inchなどをはじめ，否定極性項目に分類される多様な要素は，それぞれ固有の概念的情報をコード化している．

　一方，否定極性項目がコード化している手続き的情報は各要素に共通し，「否定極性項目(NPI)は，そのNPIを含む文(発話)が，その発話と矛盾する情報を含む文脈(否定の認知構造)において，その文脈情報を削除するように処理されることを要求する表現である」と規定される（⇒ 吉村 1999a, 第5章）．この考え方にしたがうと，次の(55a)と(55b)の容認

性の違いは，(55a)では，発話の命題と矛盾する「彼が銃に手をやってから撃たれる」のような文脈がアクセス可能なので適切になるのに対して，(55b)は，それと矛盾する「床についた後で歯を磨く」のような文脈が，普通私たちがもっている世界の知識に存在せず，アクセスできないので不適切になると説明できる．

(55) a. Billy the Kid shot him **before** he ever got his hand on his gun.
b. #He brushed his teeth **before** he ever went to bed.
(Higashimori 1986, 107)

このような否定極性項目がもつ手続き的情報は，先の節で見た，but がコード化している手続き的情報と共通し，この分析の妥当性は文脈を変えることによってテストすることができる．実際，普通は容認されない (55b) も，(56) のような but によって導入できる文脈では，完全に容認される．

(56) The accused's alibi depends on the preposterous claim that he brushed his teeth while in bed. *But* the eye-witness testimony of the butler proves that **he brushed his teeth before he *ever* went to bed**. (吉村 1999a, 176)

同様に，次の (57a) も単独で用いられると，通例不適切であると判断される．というのは，(57b) に示されているように，人が病気のときはその人の回復を望むのが普通であり，(57a) を but で導入できるような文脈にアクセスするのが困難であるからだ．しかし (57c) では，発話と矛盾する情報を含む but で導入できる文脈(否定の認知構造)が設定され，そこで否定極性項目が処理されるときには，(57a) が完全に適切になるということを示している．

(57) a. #If he ever takes any medicine, he will get better.
b. We hope for his recovery. (#*But*) **If he** (#*ever*) **takes** (#*any*) **medicine, he will get better**.

c. He is seriously ill and will die sooner or later. We eagerly await his death, because his fortune will then be ours. *But* **if he** *ever* **takes** *any* **medicine**, **he will get better**. We should prevent that at all costs. （吉村 1999a, 187）

以上のような議論に基づいて，吉村（1999a, 第 5 章）は，否定極性項目というのは，それぞれの否定極性項目が個々にもつ概念的情報と，but が指示するのと同様の否定の認知構造で処理されることを要求する手続き的情報の，両方をコード化している表現のグループであると主張し，概念的情報と手続き的情報の両方をコード化している表現の存在を示唆している．

3.5 ま と め

以上，言語表現がコード化している情報について概観した．本節では，Carston (1998) の次の例を引用することによって，さまざまな概念の組み合わせのまとめに代えることにする．取り上げた表現は，(58) の発話からとったものである．

(58) She doesn't like cats but, happily, she has agreed to look after Fleabag.
(59) A: 'cat' ── 概念的，表出命題に貢献，真理条件的
　　　B: 'she' ── 手続き的，表出命題への制約，真理条件的
　　　C: 'happily' ── 概念的，高次表意に貢献，非真理条件的
　　　D: indicative mood ── 手続き的，高次表意への制約，非真理条件的
　　　E: 'but' ── 手続き的，推意への制約，非真理条件的

(59) が示しているように，概念的情報と手続き的情報の区別は，真理条件的意味と非真理条件的意味の区別と一致するわけではない．発話解釈の認知プロセスという視点からコミュニケーションを分析する関連性理論において，重要な役割を果たすのは，概念表示とその操作（推論）の区別に対応する，概念的情報と手続き的情報の区別である．

第4章　言語の記述的用法と解釈的用法

4.1　はじめに

　関連性理論では，ことばによる伝達の出発点は解釈的用法（interpretive use）にあると考える．本章ではこの用法を詳しく見ることにする．

　記述的用法（descriptive use）とは，発話が現実の状況を表示する用法であり，正しく事実・状況などを記述すると真（truth），間違って記述すると偽（false）となり，真偽に関する用法である．一方，解釈的用法とは，発話が他人の発話・思考を解釈して表示したもので，言い換えると，ある表示をさらに解釈して表示したものであり，もとの表示をどれくらい忠実に再現するかという忠実性（faithfulness）に力点があり，類似性（resemblance）に基づく用法である（Sperber and Wilson 1995^2, 259）．

　解釈的類似性（interpretive resemblance）とは，次のように定義される（Wilson and Sperber 1988a, 138）——2つの命題形式 P と Q は，コンテクスト C において分析的含意（analytic implication）とコンテクスト含意（contextual implication）を共有すればするほど，コンテクスト C においてお互いにより解釈的に類似している（⇒ 4.3）．

　上記の定義に基づき，次の2つの異なる発話（1a），（1b）の解釈的類似性を見てみよう．

（1）　a.　It is winter.
　　　b.　It is freezing cold.

聞き手が発話（1a），（1b）を聞いて，頭の中にある知識を用いて計算され

た想定を，コンテクストとして選び出す．ここでは，聞き手がコンテクストとして選び出したものとして，(2) と (3) を考える．

(2) a. If it is winter, then it is cold.
　　 b. If it is cold, then we should stay at home.
(3) a. If it is winter, there are no flowers in the garden.
　　 b. If it is freezing cold, we should heat the greenhouse.

発話 (1a) と想定 (2a) とを用いて，頭の中で演繹的 (deductive)（たとえば，三段論法的）に演算した結果出てくる帰結は (4a) で，さらに，その帰結 (4a) と想定 (2b) とで演算した結果は，(4b) となる．

(4) a. It is cold.
　　 b. We should stay at home.

分析的含意とは，たとえば very cold が成り立つときは cold も成り立つことを言うが，この場合，freezing cold なら cold であると分析的に言えるので，発話 (1b) からは分析的に (4a) が出てくる．それゆえ，異なる発話 (1a), (1b) は，コンテクストとして (2a), (2b) を選び出した場合には，ともに演算の結果は同一の帰結 (4b) となるので，解釈的類似性がある．一方，コンテクストとして (3a), (3b) を選び出した場合は，発話 (1a) と想定 (3a) から出てくる演算の結果は there are no flowers in the garden であり，発話 (1b) と想定 (3b) から出てくる結果は，we should heat the greenhouse というまったく異なる帰結を導くことになるため，解釈的類似性はないと考えられる．注意すべきことは，解釈的類似性とは尺度をもつ概念で，まったく類似性がない場合から 100% 類似性がある場合まで，段階があることである．

　次に，発話の論理形式 (logical form) とその命題形式 (propositional form) の解釈的類似性について見てみよう (Carston 1998; Sperber and Wilson 1995[2], 232).

(5) He wears rabbit.

発話 (5) の論理形式とは，この発話の意味を理解するための青写真のよ

うなもので，X wears rabbit. と表示され，伝達の中で実際に誰が何をしたという具体的情報が語用論的に肉づけされ，意味内容が豊かになり，発話の最終的意味を表す命題形式となる．つまり，発話 (5) の命題形式は，John Smith wears rabbit fur. となる．この例からわかるように，論理形式と命題形式には解釈的類似性がある．

　類似性と認知について，関連性理論では次のように考える．認知の基本として，私たちは幼いころから類似性を自然に判断できる．たとえば，〈ひものように長いもの〉を「ヘビ」に見立てて遊ぶことができる．これは，人間の認知は，厳密に数量化した (quantitative) 概念に基づくよりは，ものの比較に基づく (comparative) 概念から成り立っていることを示す．また，この類似を伝達する話し手の意図は，2 つある．1 つは，その語がもともと指し示すものの性質を聞き手に伝えることと，もう 1 つは，もとのものに対する恐れとか驚きなど，話し手の感情や態度を示すことである (Wilson and Sperber 1992, 64)．

　類似性と言語表現について見ると，関連性理論ではあらゆるメタ表示 (発話・思考・文・命題) が，類似性に基づく表示として分析可能である (Wilson 2000)．たとえば，メタ表示を含む発話 (6a–d) では，(6a) はフランス人デカルトの言った表現の英訳であり，(6b) の he's like は，後続する要素が正確に再現されたものでなく大ざっぱであることを示し，(6c, d) の blah, blah, blah や this this this も大ざっぱな近似を表す用法である．

(6)　a.　Descartes said, "*I think, therefore I am.*"
　　　　b.　I looked at John and he's like, "*What are you saying?*"
　　　　c.　And so the kid would say, "*Blah blah blah?*" [tentative voice with rising intonation] and his father would say "*Blah blah blah*" [in a strong blustery voice], and they will go on like that.　　　　　　　　　(Clark and Gerrig 1990, 780)
　　　　d.　And I said, "Well, it seemed to me to be an example of *this this this this this this* and this and this," which it was you know.　　　　　　　　　　　　　　　　　(*ibid.*)

また引用 (quotation) には，言語形式と意味内容の類似性の違いにより，次の4種類がある．このような類似性はメタ言語的で，解釈的類似性に基づく用法である (Wilson 2000)．

(7) a. Mary said to me, "*You are neglecting your job.*"（直接話法）
b. Mary told me *I was not working hard enough.*（間接話法）
c. According to Mary, *I am "neglecting" my work.*（直接話法と間接話法を混合した話法）
d. Mary was pretty rude to me. *I am neglecting my job!*（自由間接話法）

なお，一般に類似性に基づく言語現象として，ほかに次のようなものがある (Sperber and Wilson 1985 / 1986; Gutt 1991, 136; Wilson and Sperber 1992, 65)．

物理的音と言語音の類似性： 擬音語
音声的・音韻的形式による類似性： ものまね
統語的・語彙的形式による類似性： 直接引用，パロディ，逐語訳
命題内容の類似性： 意訳，要約，パラフレーズ

以上の分類の具体例として，日本語が借用語として英語に入った場合の類似性について，見てみよう．

言語音の類似性： 枝などが「ポキッ」と折れる音をまねて，食べ物に Pocky と命名するような場合．
音声的・音韻的類似性： 明治初期の米国人作成の辞書で，「おはよう」の発音を Ohio,「おまえ」の発音を Oh, my とするような場合．
統語的・語彙的類似性： 「天下り」を descent from heaven と逐語訳するような場合．
命題内容の類似性： 「駅伝」を long-distance relay road race と意訳するような場合．

4.2　ルース・トークに基づく伝達

関連性理論以前の言語学・修辞学では，意味研究の出発点として文字どおりの意味があり，文彩（trope）や修辞的用法などは，文字どおりの意味からの逸脱として説明されてきた．関連性理論では，人間の伝達は本来，発話（公的表示（public representation））と伝えたい思考（私的な心的表示（private mental representation））との間に，解釈的類似性があり，次のような特徴を備えていると考える（Sperber and Wilson 1995[2]; Noh 1998b）．

(i)　すべての発話は基本的レベルにおいて解釈的で，その次のレベルで記述的か解釈的かに使用される．
(ii)　意味内容の類似性（resemblance in content）に基づく解釈的という考え方は，語用論において基本的なものである．
(iii)　文字どおりの解釈（literalness）は，解釈的類似性の特殊な場合，すなわち，発話と思考が 100% 一致しており，両者がまったく同じ含み（implication）をもつ特別な場合と考える．
(iv)　発話と思考はある程度類似したものであり，発話により表現された命題は話し手の内にもっている思考に完全に一致しているというよりも，両者は類似している（あるいはルースに使われている）のが普通であり，このルース・トーク（loose talk）を関連性理論では意味理解の出発点と考える．

具体例を見てみよう．

(8)　a.　I earn £797.32 a month.
　　　b.　I earn £800 a month.
(9)　a.　Holland has no mountain and very few hills.
　　　b.　Holland is flat.

(8a) のように，給料などの正確な額の記述は通例長くなり，同じような含みが伝わるなら，より処理労力のいらない (8b) のルースな言い方が好まれる．(8a) は，月収を聞かれたときに答えるには正確すぎて，聞き手にはかえって処理労力がかかりすぎる．たとえば，聞き手がさらにその人

の年収を計算しようとすれば，処理労力がかかりすぎる．むしろ (8b) のルースな発話の方が相手には親切で，年収などをより早く計算もできるからである．（もちろん，税務署で税金の申告のときには (8a) が適当であるが．）

(9) は，ピーターとメアリーが次のサイクリングにどこに行くか話し合っている場面で，ピーターが体調がよくないと言った後の，それに対するメアリーの発話である．両者からは「オランダにサイクリングに行くと山などなくて楽だから，次回はオランダに行こう」のような同じ含みが計算される．(9a) は (9b) より長い発話で処理労力もかかり，同じ含みが得られるなら，処理労力の少ない (9b) のルースな言い方が関連性の原則に合っていて，選ばれる．(9b) は次のように処理される（Wilson and Sperber 2000, 241）．

(i) メアリーはピーターに "Holland is flat." と言った．（メアリーが言った発話をピーターが解読）

(ii) メアリーの発話はピーターにとって最適な関連性がある．（メアリーの発話を伝達行為として認め，関連性の見込みありと自動的に伝わる）

(iii) メアリーの発話は，ピーターの体調の悪さが直前の発話にあったので，それならばオランダにサイクリングに行こうという提案理由を示すことにより，関連性を達成する．（上記 (ii) から関連性の期待があり，その理由がピーターにとって最適な関連性があると考える）

(iv) Cycling on relatively flatter terrain which involves little or no climbing is less strenuous and would be agreeable in the circumstances.（これは，メアリーの発話を聞いてピーターが最初に思いついた想定で，(iii) の関連性の期待を満たすものである）

(v) Holland is FLAT*.（FLAT* はメアリーの発話を最初に語用論的に拡充（enrichment）したもので，概念のルース化（loosening）が行われ，FLAT のもとの意「完全に平坦な」からルースに「比較的平坦な」の意になっている）

(vi) Cycling in Holland would involve little or no climbing.（これは

(iv)＋(v) から推論して，暗に出てくる推意である）
(vii) Cycling in Holland is less strenuous and would be agreeable in the circumstances.（これは (ii), (iii) を満たしていて，(iv), (vi) から推論して暗に出てくる推意）

なお，"Holland is flat." を誇張表現 (hyperbole) として解釈することも可能で，上記とまったく同じ解釈のプロセス(すなわち，「発話＋想定」に基づく推論で推意が出てくるというプロセス)により，関連性理論で説明される．文字どおりの解釈，ルースな解釈，誇張表現の解釈，メタファーの解釈などが，同じオンライン上のプロセスにより説明できると考える．(もちろん，選び出す想定の内容などが変わり，推意の結果も異なることになる．) これらの解釈はすべて連続したもので，そえゆえ，伝統的にはそれぞれ独自の言語現象と考えられていたが，関連性理論では，それぞれがはっきりした特殊な領域とは考えないことに注意が必要である (Wilson and Sperber 2000, 243)．

次に，従来の分析によるルース・トークの扱いの問題点としては，以下の4点があげられる．

(i) 日常のことば遣いの中では，ルース・トークは Grice 流の質の格率(「本当のことを言うこと」)に違反しているとは感じない．たとえば，"This steak is raw." は「ステーキの肉が，なま (not cooked) である」の意ではなく，たとえば「あまり焼けていなくて，堅くて食べにくい (difficult to eat)」の意で，通例ルースに用いられる．
(ii) 伝統的な修辞学では，ルース・トークは，文字どおりの意から逸脱した修辞的意味の文彩とは見なされていない．
(iii) ルース・トークは，明示的な違反を含んでいない．
(iv) Grice 流の社会的語用論では，ルース・トークを説明していない．

以上をまとめると，関連性理論ではルースな用法とは，文字どおりの発話のように発話と思考の間に 100％ の類似性はもたないが，ある心的・言語的表示を，もう1つ別の表示を表すために使用したものである．"France is hexagonal." の hexagonal（六角形）などがその典型例である（Carston and Uchida, eds. 1998, 296–299）.

4.2.1 概念とルースな用法

関連性理論における概念（concept）の捉え方（Sperber and Wilson 1995², 83–93）をここでもう一度まとめると，

(i)　概念は，論理的項目（計算上の情報），百科事典的項目（事物についての情報），語彙的情報（統語的・音韻論的情報）からなる.
(ii)　すべての単音節語の表す概念は，生得的（innate）である.
(iii)　yellow, salt などの単語の意味は，それ以上小さいものに細分化できない概念である.
(iv)　想定は，構造化された概念の集合である.
(v)　概念とは，かなり抽象的なレベルにおける心理的なものである.
(vi)　概念は，記憶ファイルの中に名前をつけて保存されている.
(vii)　概念は，発話による論理形式を構成し，演繹的演算ができる.

注意すべきことは，関連性理論では，意味はもともと揺れがあり，それを演算により絞ると考える．この，意味の非決定性（indeterminacy）は，発話解釈の推意レベルで揺れるだけではない．たとえば，"It's the taste." という発話は，推意レベルでは「コカコーラのコマーシャルだ」と，「コマーシャルするのはよい商品である」という想定とで演算をして，'the taste is good' と解釈し，母親が子どもに給食を食べなかった理由を聞いた場合には，「子どもは何か味に問題があって食べなかったのだ」という想定があって，'the taste is bad' と正反対の発話解釈となる．これと同様に，表意レベルでも揺れがある．たとえば，"He has red eyes." という発話で，記号化された red eyes は，疲れて目が赤い場合は，目全体ではなくて目の白い部分が充血していることを指しているし，ピカチュウのように目全体が赤くて光っている場合には，eyes は目全体を指していると解釈される．このように，概念そのものも広くなったり，狭くなったすることが関連性の原則にしたがって計算される．すなわち，概念の意味内容も

推意を計算する場合と同様に，たくさんの可能性の中からコンテクスト効果を生み出すものを選び出して，もとの記号化されたものが狭くなったり，ルースになったりする．概念は百科事典的項目から異なる想定(情報)を組み合わせて，その場その場でアドホックに意味内容が構築されている．その場合，どの想定の束を選び出すかを決定するのは，関連性の原則である（Wilson 1990）．

　同じことが，概念と単語についても言える．ぴったりとした単語がなくて，類似したもので表す（10a, b）の場合とか，（10c）のように概念はあるが，英語では対応する1語がない場合もある．概念と単語の関係も，部分的にしか対応関係が存在せず，たいていの心的概念はぴったりとした単語をもたないと関連性理論では考える（Sperber and Wilson 1997a, 110）．

(10)　a.　Between them was a yellow *catlike* Pokemon.
　　　　　　　　　　　　　　　　　(Tracey West, *Pokemon*, p. 36)
　　　b.　"At precisely *8 : 32-ish*, Exhibit A, Woody, was kidnapped. The composite sketch of the kidnapper . . ."
　　　　　　　　　　　　　　　　　(Leslie Goldman, *Toy Story 2*, p. 26)
　　　c.　*uncles-or-aunts*（「両親の兄弟姉妹とその配偶者」の意）

次に，アドホック概念形成（ad hoc concept construction）について考えてみよう（Carston 1996b, 1998, 2002）．人間のもつ強力な推論能力により，オンラインの発話解釈の際に語彙的に記号化された概念から，アドホック概念形成が可能となる．アドホック概念形成は，主に次の2種類に分類される．

(i)　語彙化された概念を狭く / 拡充 / 強くする（narrowing / enrichment / strengthening）場合．
(ii)　語彙化された概念をルースに / 広く / 弱くする（loosening / broadening / weakening）場合．

例を見てみよう．

(11)　a.　*A fish* attacked a swimmer.

    b. *Everyone* got drunk.
    c. I've got *nothing* to wear to the party.

(11a)は概念が狭くなった例で，(11a)の発話を聞いた聞き手は，頭の中にある fish に関するすべての想定［たとえば，(a) 魚は水の中を泳ぐものである，(b) 魚には淡水魚や海水魚の種類がある，(c) 魚にはサメのように人を襲う獰猛なものがいる，(d) 魚には金魚のように観賞用のものもいる］の中から，記号化された概念 (encoded concept) fish が，関連性あるものとして (c) を選び出す．その結果として，伝達された概念 (communicated concept) FISH* は，魚全体の範疇 (a) から (d) まですべての情報をもつものではなく，「サメのように人を襲う獰猛な魚」の意に狭くなっている．(11b) と (11c) もそれぞれ，状況に応じて，everyone がすべての人から，たとえば，「この部屋にいるすべての人」の意と狭くなり，nothing が洋服など 1 つもないのではなく，「着て行くのにふさわしいものが何もない」の意に狭くなっている．

(12) は概念がルースになった例で，厳密には (12a) の bald は「髪の毛が 1 本もない状態」を記号化しているが，通例はルースに用いられて，「少しは髪の毛が生えている状態」を指すことが多い．(12b) の heart で記号化されているのは「臓器としての心臓」の意だが，伝達された概念は「心臓(ハート)の形」の意で，ルースになっているし，(12c) もここではネコを指しているので，記号化された flatmate がもともと人間を指しているのに対し，人間とともに動物をも含む伝達概念へと，FLATMATE* がルースに使用されている．

(12) a. I love *bald* men.
    b. Have you eaten *chocolate heart*?
    c. Here's my *new flatmate*. (最近手に入れた猫を指して)

問題点を 2 点あげると，(i) 概念がその意味内容を完全に満たしていない，不完全な状態がある(そのような要素を含む場合の発話を，疑似命題 (semi-proposition) と呼ぶ (Sperber 1985, 51))．子どもの言語習得とか，大学生になってはじめて関連性理論を習い，manifestness などの専門用語

の意味内容が少しずつわかる場合などが，これにあたる．また，(ii) 個人の概念リストの拡張や，新語の獲得，借用語の意味のずれなどについても，アドホック概念形成が関わる (Higashimori and Wilson 1996, 116)．なお，spill the beans (「秘密をうっかり漏らす」の意)のようなイディオムは，構造をもった句概念 (structured phrasal concept) として，全体をひとまとめにして，記憶ファイルに保存されていると分析する．(詳しくは Elena Vega-Moreno (2001) を参照．)

次に，丁寧さなどによく用いられる緩和表現と，ルース・トークについて考えてみよう．

4.2.2　緩和表現の役割

緩和表現 (hedge) とは，一般には，発話した内容が相手に対して強く伝わるのを緩和するために用いる，I think, it seems to me, loosely speaking, technically などの表現を指す．ここでは sort of, kind of と談話連結詞 like を中心に見ていこう．

関連性理論では，sort of は，聞き手に被修飾語をルースに解釈しなさいと明示的に示す方法であり，その語の適用範囲を緩やかにすることになる (Itani 1995, 89, 104)．

(13)　Tom is *sort of* a bachelor.
(14)　A whale is *sort of* a fish.

(13) では，sort of は，トムには典型的な独身男性がもっている性質(たとえば，女友達がいて，男友達とも酒を飲みに行ったりするなど)が欠けているが，このようにはずれた性質をもつ人間にも，bachelor という語の使用を緩めて記号化したものである．(14) では，fish の定義上の性質——つまり fish は魚類であり，哺乳類ではない——をルースに解釈して，水中を泳ぐ哺乳類も指すようになっている．

ただし，sort of はなくてもルースな使用は可能で，(15a) の breakfast は，一日中食べられる朝食を指し，ルースになっているし，(15b) でも father は，死後，保存されていた精子が使用され，父親になった場合で，

これもルースに使用されている.

(15) a. *Breakfast* served all day.
　　　　（米国 University of New Mexico のカフェの広告）
　　　b. UK man is *father* — 3 years after he died.
　　　　（*Mainichi Daily News*, Aug. 31, 1997）

　(13),(14) と (15) の違いは, sort of があれば, 聞き手は被修飾語の概念をルースに解釈すればよいことが明示的にわかり, 処理労力が軽減されていることである.
　問題点は,(16a, b),(17) のように, 名詞句以外の要素がルースになる場合, sort of, kind of はどのように処理されているのか, また (18) のように, sort of が単独で使用されたときにどこをルースにしているのかを, 聞き手が探し出すのに処理労力がかなりかかることである.

(16) a. Lorraine: Uh, Marty. This may seem a little forward, but I was *kinda* wondering if-i-... i-... if you'd ask me to the... "Enchantment Under The Sea Dance" on Saturday?
　　　　（Robert Zemeckis & Bob Gale, *Back to the Future*, p. 49）
　　b. The Pokemon looked *kind of* like Pikachu, only bigger, and it was a yellow-orange color.
　　　　（Tracey West, *Pokemon*, p. 56）
(17) Reid: And... this term started floating around *sort of* in intellectual and media circles in Japan last December, acutally.
　　　（Thomas Reid『インタビューフラッシュ: 日本編 1』, p. 8）
(18) Stone:　You a football fan?
　　　Father Horn:　I love the Saints. [*laughs*] That's from the Vatican jokebook.
　　　The Devil:　If it means anything, I'm sorry. *Sort of.* Well... no, I'm not.
　　　（テレビシリーズのタイトル: "Brimstone"（1998）〈http://us.imdb.com/Quotes/0165564〉）

次に，談話連結詞 like であるが，Andersen（1998, 148）は like を，ルースな言語使用を示す語用論的標識と分析し，発話の表意に対する手続き的制約を記号化しているとする．sort of が 'not entirely' という概念を記号化するのに対し，like は手続き的意味のみを記号化する．前者は(19a) のように否定の作用域に生じるが，後者は (19b) のように不可となる．また，like は roughly とは異なり，(20b) のようにメタ言語的否定の作用域に生じないので，like は手続き的，roughly は概念的と特徴づけている (Andersen 1998, 164)．

(19) a. Peter: You were sort of drunk last night, weren't you?
    Mary: I wasn't *SORT OF* drunk, I was DRUNK.
  b. Peter: You were like drunk last night, weren't you?
    Mary: *I wasn't *LIKE* drunk, I was DRUNK.
(20) a. Peter: You wrote roughly four pages.
    Mary: No I didn't write *ROUGHLY* four pages, I wrote EXACTLY four pages.
  b. Peter: You wrote like four pages.
    Mary: *No I didn't write *LIKE* four pages, I wrote EXACTLY four pages.

問題点は，Andersen（1998）では検討されていないが，sort of と同様に like も，(21) に見られるように文末に生じ，文全体をルースに修飾することがある．聞き手は，発話の進行方向とは逆方向にルースに計算することになるので，処理労力がかなりかかる用法である．

(21) a. I think we'd better ourselves, *like*.
    (*British National Corpus*)
  b. This woman doesn't know anything, *like*. (*ibid.*)

さらに問題なのは，sort of と like の両方が 'sort of like' のように連語して，ルースに用いられる場合が多いことである．

(22) a. Gradually it *sort of like* brings people out of themselves and do you know what I mean, they learn to do things. (*ibid.*)

b. *Sort of, like* when your combing your hair, innit erm, in the bath keeps on, do my hair, do my hair. (*ibid.*)
c. Well you put another word in between each letter of the other word *sort of like*. (*ibid.*)

もしも sort of が概念的意味をもち，like が手続き的意味をもつなら，結論を言うときに "So therefore." (so は手続き的で therefore は概念的)と言うのと同じように，ルースなものを「sort of + like」と重ねて使うことで強めているとも考えられる．(sort of, kind of, like の話し言葉および英米語における頻度の違いについて，詳しくは Biber et al. (1999, 869–870) を参照．)

4.3 解釈的類似性に基づく伝達

言語現象ではさまざまな分野で，解釈的類似性が意味理解のプロセスで用いられている．ここでは，その中のいくつかを取り上げて考察する．もとの発話の意味内容に類似した別の表現で言い換える表現 (reformulation)，先行発話を繰り返すエコー疑問文 (echo question)，さらに，表示の表示を扱うメタ表示 (metarepresentation) について，以下で見てみよう．

ある人の発話内容を第三者に伝達するときに用いるメタ表示は，次の2種類に大別される (Wilson 2000):

(i) 帰属的メタ表示 (attributive metarepresentation)
(ii) 非帰属的メタ表示 (non-attributive metarepresentation)

帰属的メタ表示とは，(23a) の引用符 " " で示された帰属的発話に典型的に見られ，さらに，エコー疑問文，メタ言語的否定，アイロニーもここに属し，話し手が他の人の思考・発話などをメタ表示したものに，話し手自身のそれらに対する態度などが暗に伝達されている．この帰属的メタ表示は，話し手以外の人が言った発言とか思考をさらに解釈した発話を用いる，帰属的解釈用法 (attributive interpretive use) の一種である (詳しくは 4.3.1 節を参照)．

非帰属的メタ表示とは，(23b) の例の引用符 ' ' で記された発話のように，特定の人の思考をメタ表示したものでなく，単に，抽象的な表示 a sentence of English の具体例として取り上げられた発話などを指す．

(23) a. Mary said to me, "You are neglecting your job."
　　　b. '*Dragonflies are beautiful*' is a sentence of English.

4.3.1　言い換え表現の分析

言い換え表現とは，メタ表示において，もとの発話を意味内容の類似した別の表現で言い換える場合である．以下で，いろいろな言い換え表現の例を見てみよう．

(24) Mary: *The argument is invalid.*
(25) Mary: She said *the argument is invalid.*

(24) と (25) の状況としては，メアリーがピーターに，自分の指導教授と会って話したことについて伝えている場面で，指導教授が直接言った表現は "I'm not convinced of the argument." であったが，メアリーは (24) では，自分自身の意見か指導教授が言った内容かの判断は，ピーターにゆだねて表現している (Noh 1998b, 281–284; Blakemore 1993, 1996, 1997)．それに対して，(25) の she said は，指導教授の言った内容であることを明示的にメタ表示している．

(26)–(28) は，エコー疑問文で用いられた言い換え表現の例 (Blakemore 1994, 207–211) で，それぞれ my mother and father → your parents, my brothers and sisters → your siblings, Mr Clinton → *the president* と言い換えている．(エコー疑問文について詳しくは 4.3.2 節を参照．)

(26) A: My mother and father are coming tonight.
　　　B: *Your parents* are coming WHEN?
(27) A: My brothers and sisters are arriving tonight.
　　　B: *Your siblings* are arriving WHEN?

(28) A: Mr Clinton will be speaking tonight.
　　　B: *The president* will be speaking WHEN?

(29) では，A の言った意味内容が難しいので，確認のため，別の言い換え表現 baking soda を用いている．

(29) A: I cleaned the teapot with bicarbonate of soda.
　　　B: You cleaned it with *BAKING SODA*?
　　　　　　　　　　　　　　　　　　　　（Blakemore 1994, 210）

次に in other words, that is など，言い換え表現が後に続くことを示す談話連結詞が用いられる場合を見てみよう．次のような特徴が認められる：

(i) that is, in other words は，先行する言語的コンテクストを必要とする（Blakemore 1996, 337）．

(ii) in other words は同格を表す談話標識（apposition marker）で，「言い換えれば，つまり」の意を表す用法がある（Blakemore 1993, 101）．

(iii) in other words の後にくる表現は，(30) のように専門用語による言い換えの場合がある（Blakemore 1993, 109）．また，(31) では the written language → the Chinese characters → the kanji と，3種類の言い換えが行われている（東森 1999）．

(30) The hearer must identify the speech act performed by an utterance. *In other words*, she must identify its illocutionary force.

(31) But the thing that I found most fascinating of all about the Japanese language is the written language — *in other words*, the Chinese characters, or the kanji.
（Jack Halpern『インタビューフラッシュ：日本編1』, p. 24）

(iv) in other words と that is の分布は，以下の例のように異なる．

(32) This legislation will only affect London, *that is to say* / *in other words* Greater London.　　　　（Blakemore 1993, 102）

(v) in other words が推論の言語標識として，「(そう)すると」の意で用いられる場合．(33) では，「図書館から本を借りられなかった」，「(だとすると)読んでいない」，(34) では，「そろそろ新しい仕事をさがした方がいい」，「(それなら)私は首ですか」という推論がそれぞれ働いている．

(33) A: How did you get on with your semantics this week?
    B: Well, I couldn't get any of the books from the library.
    A: *In other words*, you didn't do the reading.
(34) A: I think it's time you thought about a new career.
    B: *In other words*, I'm fired.

(vi) in other words は，パラフレーズというよりもむしろ，要約 (summary) を導入する言語標識である (Blakemore 1993, 105).
(vii) 関連性理論では，要約は類似性に基づくメタ表現で，解釈的用法であると考える．言い換え表現が in other words の後でなぜ生じるかというと，もとの発話が最適な関連性を達成できていないから，言い換えることにより最適な関連性を達成しようとしているのである (Blakemore 1993, 120).

なお (35) では，that is の後に言い換え表現が用いられ，聞き手の百科事典的項目の情報をより豊かにして，談話理解を助けている (Blakemore 1993, 110). この場合は Sperber and Wilson の言う (情報の) 精緻化 (elaboration) という概念に当たる．

(35) In this connection Cameron points out that in all instances of intense luminescence the moon has been close to full; *that is*, it has been on the side of the earth away from the sun.

(36) では，相手が Pepsi-free を「ただでペプシをくれ」と誤解しているので，わかりやすく「砂糖の入ってないやつをくれ」とパラフレーズしている．

(36) Lou: Are you gonna order somethin', kid?

Marty: Uh, yeah. Gimme a Tab.
Lou: Tab? I can't give a tab unless you order somethin'.
Marty: Right. Gimme a *Pepsi-free*.
Lou: You want a Pepsi, pal, you gotta pay for it!
Marty: Well, just *give me somethin' without sugar in it*, okay?
Lou: Somethin' without sugar.
（Robert Zemeckis & Bob Gale, *Back to the Future*, p. 26）

Blakemore（1993）はただ，in other words が要約を導くという性質を説明しているだけで，要約とパラフレーズの共通点や相違点についてふれているわけではない．(29) の例も (36) の例も，わかりにくい表現を言い換え表現で，より理解しやすい形で表現しようとしているところに共通点がある．だとすると，in other words でパラフレーズを導く例もあるかもしれない．要約とパラフレーズに関するさらに詳しい研究が必要である．

4.3.2　エコー疑問文の分析

従来のエコー疑問文の定義として，以下のものをまず見てみよう．

(37)　エコー疑問文とは「'I've bought a concrete mixer.' という発話に部分的にエコーして，'You've bought what?' のような形式を用いること」．
（*The Concise Oxford Dictionary of Linguistics*, 1997）

エコー疑問文の従来の分析の特徴は以下のようにまとめることができる．

(i)　エコー疑問文は，先行発話の(一部または全体)の繰り返しである．
(ii)　先行発話は統語形式として，平叙文・疑問文・命令文が可能である．
(iii)　エコー疑問文は，エコーしない通常の疑問文と比べると，統語形式が先行発話と同じ形のことが多い．
(iv)　エコー疑問文の主な働きは，先行発話(相手の発話内容)の形式お

よび内容を明らかにすることで，確認したり念を押したりするために用いる，問い返し疑問文のことである．

(38), (39) は，一般的なエコー疑問文の例である．

(38) Peter to Mary: Have you ever been to Paris?
　　　Mary: *Have I ever been to Paris?* 　　（Noh 1995, 127）
(39) 　A: 　I'm leaving on Tuesday.
　　　B1: 　You're leaving on Tuesday?
　　　B2: 　You're leaving *when*? 　　　　　（Noh 2000a, 146）

(40)–(42) は，平叙文以外の疑問文・命令文・感嘆文の後にも，エコー疑問文がくることを示している．

(40) 　A: 　Have you read "Great Expectations"?
　　　B1: 　Have I read "Great Expectations"?
　　　B2: 　Have I read *what*?
(41) 　A: 　Talk to a fortune-teller.
　　　B1: 　Talk to a fortune-teller?
　　　B2: 　Talk to *what / who*?
(42) 　A: 　What a great pleasure this is!
　　　B1: 　What a great pleasure this is?
　　　B2: 　What a great *what* this is?

統語的には，通常の疑問文よりもエコー疑問文の場合は，先行発話との共通点が多い．通常の疑問文は主語と助動詞の倒置が起こるが，エコー疑問文では平叙文と同じ語順であることに注意する必要がある．

(43) 　You're leaving?（エコー疑問文）
　　　cf. Are you leaving on Tuesday?（通常の疑問文）
(44) 　You're leaving when?（エコー疑問文）
　　　cf. When are you leaving?（通常の疑問文）

伝統的なエコー疑問文の分析では，言語表現として先行発話が存在する

122

場合のみをデータとして扱ってきたが，以下で述べるように，先行発話としての言語情報がまったくない場合でも，聞き手が目で見た情報（視覚情報）や，すでに頭の中にある記憶を先行とする情報に対しても，エコー疑問文を用いることが可能である．このような，伝統的な分析では見落とされていた例も，関連性理論では一般化して説明できることを見てみよう．

まず，先行発話はないが，エコー疑問文が用いられている場合を見てみよう．

(45) ［Aがドアまで歩いて行くのを見て］
B1: *You're leaving?*
B2: You're going *where*?
（Aがドアまで行くのを見た視覚情報に対する，2つの異なるエコーの例）

(46) ［フランス人が，フランス国旗のそばに禿の王様が座っているのを描いた絵を見て言ったこと］
"*The king of France is bald?* We have no king." （絵による視覚情報にエコーした例）

(47) ［ビルが会議場で道に迷ったが，数分前に見たのと同じ矢印を見つけて言ったこと］
"*This is the way?*" （道に迷い，以前に視覚的に見たことがある矢印の記号にエコーした例）

(48) ［ロンドンの地図を見ながら，ロンドン大学の新入生が言ったこと］
"*The British Museum is near University College?*" （地図による視覚情報にエコーした例）

(49) ［車で走っていて，道路標識に ROADWORKS AHEAD, DELAYS POSSIBLE. と書かれてあるのを見て，運転手が言ったひとり言］
"*Delays possible?*"   (Noh 1995, 126)

以上の5例は，伝統的には先行発話がない場合で，ひとり言として扱われ，エコー疑問文には入らないものとなる．エコーしている情報は言語的

に発話されたものではないが，関連性理論では視覚情報などで意図的に伝達されたものと考え，これらも意図明示的伝達に含める．また，次のように暗に言われた内容にもエコーできる．

(50) A: No, you'd better stop drinking now.
B: Ah, *I'm drunk*?
（A の発話が暗に "You're drunk." と考えていることにエコーした例）

従来は，(51) の平叙文で上昇調のイントネーションの疑問文は，エコー疑問文として分析されなかったが，上例と同じように先行発話による含みにエコーしているものと同じと考えることにより，説明できる．

(51) A: Yesterday I met the doctor I told you about.
B: *So he gave you the treatment?*

これらのエコー疑問文の共通項は，話し手以外の誰か/何かに帰属している場合で，帰属的エコー用法（echoic attributive use）を含むことである．
　次に，先行発話の言語形式にエコーしている場合を見る．

(52) A: We trapped two mongeese.
B: *You trapped two mongeese?* You mean "mongooses."
（mongoose の間違った複数形 mongeese の形式にエコーした例）

(53) A: I love [luv] my wife.（[luv] は Northern England の発音）
B: *You love* [luv] *your wife?* I love [lʌv] my wife.
（Northern England の love の発音 [luv] にエコーした例）

(54) A: Did you call the POlice?
B: *POlice?* I called the poLICE.
（police という語の発音で，強勢が最初の母音に置かれた POlice という発音にエコーした例）

次は，言語使用域（register）や文体にエコーしている例である．

(55) A: His father kicked the bucket.

B: *Kicked the bucket?* Is he your friend?
(kick the bucket が「くたばる」の意のくだけたイディオムで，その用法にエコーした例)

(56) A: We have a half-empty bottle of wine.
B: *Half-empty?* It's half-full.
(half-full と言わずに，half-empty と否定的見方をしていることにエコーした例)

(57) A: She is a black policewoman.
B: *A black policewoman?* She is a policewoman who is black.
(黒人の婦人警官を表すのに用いた black policewoman という統語形式にエコーした例)

次は，先行発話のある側面に焦点を当てたエコー疑問文である．

(58) A: The king of France is bald.
B: *The king of France is bald?* There is no king of France.
(the king of France の表現によるフランス王の存在前提にエコーした例)

次は，先行発話の非真理条件的意味にエコーした場合である．

(59) A: You finally managed to solve the problems.
B: *Managed?* I solved them in two minutes.
(manage という動詞による問題解決が難しいという含みにエコーした例)

(60) A: He is rich, but he is friendly.
B: *But?* Not every rich man is unfriendly.
(but が暗に示す2つのものの対立ということにエコーした例)

次は，先行発話による推意にエコーした例である．

(61) A: I saw you kissing a woman on Oxford Street yesterday.
B: *You saw me kissing a woman?* That was my wife. We went out last night.
(A の a woman から "a woman" is not B's wife という含みにエ

コーした例）

　以上のような多くの，先行発話を伴わない実例も含めて，関連性理論ではどのようにエコー疑問文を説明するかを見てみよう（Noh 1998a, 620–626）．

(62)　A:　　I'm leaving on Tuesday.
　　　B1:　You're leaving on Tuesday?
　　　B2:　You're leaving *when*?

B1, B2 は，A の発話がうまく聞き取れなかったり，聞いたことが信じられないことだったので，エコー疑問文で尋ねている．(62)のB1, B2 をパラフレーズすると，次のようになる．

(62′)　B1:　*Are you saying that* you're leaving on Tuesday?
　　　 B2:　When *are you saying that* you're leaving?

すなわち，メタ言語的に発語内行為について質問していると分析できる．したがって，これらのエコー疑問文は疑問文（interrogative）であり，その作用域にメタ言語的疑問・依頼・主張をとるとすることとは矛盾しない．you say / mean は高次の表意で，もともとの命題に付け加わったエコー疑問文のメタ表示であり，それが語用論的に拡充されてエコー疑問文の明示的意味内容の一部となり，直接行われた発話行為の一部になると分析される（Noh 1998a, 622）．

　なお，(62)の B1 のエコー疑問文 "You're leaving on Tuesday?" は，もとの "I'm leaving on Tuesday." とは人称代名詞が I から you に変わっている点が異なり，これは自由間接話法（free indirect speech）の変化に類似している．次のような例もある．

(63)　A:　　We trapped two mongeese.
　　　B:　　*You trapped two mongeese?*　　You mean "mongooses."
(63′)　B1:　"*Are you saying* you trapped two 'mongeese'?"
　　　 B2:　"*Am I correct in thinking you said* you trapped two 'mongeese'?"

　　　　B3:　"*Do you think it's correct to say* you trapped two 'mongeese'?"

(63′) の斜字体で示したように，どこまで (63B) を拡充するかは問題であるが，意味内容・形式の類似性に基づく話し手以外の人の帰属的表示をメタ表示したもの，という共通項がエコー疑問文にはある (Noh 1998a, 623).

　さらに，通常の疑問文とエコー疑問文との違いを比べてみよう．

　(64)　A:　It's cold.
　　　　B1:　Is it cold?　It's freezing.
　　　　B2:　*It's cold?*　It's freezing.

(64B1) は普通の yes-no 疑問文で，cold のみをメタ表示しているのに対して，B2 はエコー疑問文で，A の発話全体をメタ表示している．それぞれ (64′) B1, B2 のように言い換えられる:

　(64′)　B1:　Is it, *as you say*, "cold"?
　　　　B2:　*Do you think / assert that* it is cold?

(65B1) では，when は (65A) の発話の in 1492 をメタ表示した通常の wh 疑問文であり，事実について尋ねる疑問文であるが，B2 は発話の背後にある考えについて尋ねるエコー疑問文で，"When *do you say / think* Columbus discovered America?" の意となる．

　(65)　A:　Columbus discovered America in 1492.
　　　　B1:　*When* did Columbus discover America?
　　　　B2:　*Columbus discovered America WHEN?*

　では，通常の疑問文とエコー疑問文の，どちらとも言える場合を見よう．

　(66)　A:　I loved the painter.
　　　　B:　*You loved the painter?*　　　　　　(Noh 1998a, 625)

(66B) が質問しているのは，'*you say / mean / think* you loved the painter'

という命題で，Aが答えを知っているのは明白である．もしもBが，Aの発話を自分に対する発話として，関連性理論で言う望ましい (desirable) ものと考えれば，相手に情報を求める通常の疑問文となる．反対に，Bは自分自身に向けてエコー疑問文を発して，明らかにAに尋ねていない場合は，ひとり言のエコー疑問文 (self-addressed echo question) となる．

エコー疑問文と通常の疑問文の違いは，前者には後者にない，メタ言語的表現を含んでいることである，と関連性理論では分析できる．

以上，エコー疑問文についてまとめると，次のようになる (Noh 1995, 126):

(i) エコー疑問文とは，エコーするものは命題，推意，形態論的特性，音韻論的特性，スタイル，言語使用域，焦点，言外の含み (connotation) まで，多様な側面に焦点を当てたものである．
(ii) 先行発話(の一側面あるいは一部)，あるいは，コンテクスト上のある表示との間に類似性があり，話し手はエコーすることによって，もとになる表示に対して自分の態度を示す用法である．

なお，今後の研究課題として，以下の2点が考えられる．

1つ目は，先行発話にエコーする場合でも，どこまで離れたものとエコーできるかということを，処理労力との関係で研究する必要がある．たとえば，(67)でマーティの最後のセリフ "Science Fiction Theater?" は父親ジョージのかなり距離をおいた先行発話にエコーしている．

(67) George: But I can't go to the dance. I'll miss my favorite television program, *science fiction theater*.
Marty: Yeah, but, George ... Lorraine wants to go with you. Give her a break.
George: Look, I'm just not ready to ask Lorraine out to the dance. And not you ... nor anybody else on this planet, is gonna make me change my mind.
Marty: *Science Fiction Theater?*
(Robert Zemeckis & Bob Gale, *Back to the Future*, p. 42)

2つ目は，Recanati (2000) によるエコー的用法と真理値との関わりである．エコー的用法は，累積的エコー（cumulative echo）と非累積的エコー（non-cumulative echo）に二分されている．前者は，(68a) の 'smart' の例のように，引用符を除いた (68b) を意味論的に含意する（entail）場合であり，後者は (69a) の 'Quine' のように，引用符を除いた (69b) を含意しない場合である．すなわち，'smart' は誰かほかの人がsmart と言ったことにエコーした場合で，引用符をはずしても，(68a), (68b) の真理値は変わらないが，(69a) の 'Quine' は 'the person whom James mistakes for Quine'（すなわち McPherson を指す)の意で，Quine とは異なる別人(たとえば James)を指す解釈となり，(69a), (69b) は真理値が異なることになる．この方面からのエコー的用法の研究がさらに求められる．詳しくは Recanati (2000, 287–315) を参照．

(68)　a.　That boy is really 'smart'.
　　　b.　That boy is really smart.
(69)　a.　'Quine' has not finished writing his paper.
　　　b.　Quine has not finished writing his paper.

4.3.3　メタ言語的表現の分析：疑似条件文

　メタ表示とは，表示の表示であり，低次の表示をその中に埋め込んだ，より高次の表示のことである（Wilson 2000）．低次の表示には主に3つのタイプがあり，公的表示(具体例: 発話)，心的表示(具体例: 思考)，抽象的表示(具体例: 文，命題)がある．言語的にメタ表示を示す形式には，以下のようなものがある（Wilson 2000）．

英語：　　伝聞副詞（hearsay adverb）：allegedly, reportedly
　　　　　形容詞：self-confessed, so-called
　　　　　不変化詞（particle）：quote-unquote
　　　　　挿入句（parenthetical）：as Chomsky says, according to Bill
　　　　　名詞句：Derrida's claim that, the suspect's allegation that

フランス語：接続詞（connective）：puisque
　　　　　　形態素：条件法（reportative conditional）
ドイツ語：　伝聞法助動詞（hearsay modal）：wollen
日本語：　　伝聞不変化詞（hearsay particle）：（〜）って

次のように，望ましい発話（desirable utterance）をメタ表示したものもある．

(70) a. 司祭が花嫁に：　*I, Amanda, take you, Bertrand, to be my lawful, wedded husband.*
　　　b. 花嫁：　I, Amanda, take you, Bertrand, to be my lawful, wedded husband.

(70a)では，司祭が花嫁に言ってもらいたい発話を，前もってメタ表示している．

(71) a. クイズ番組の司会者：　*The first man to walk on the moon was?*
　　　b. 解答者：　Neil Diamond.

(71a)では，司会者は通常の疑問文を言っているのではなくて，解答者に答えてもらいたい発話をメタ表示していると分析される．

　疑似条件文（pseudo-conditional）とメタ表示について，Noh（1998b）にしたがい実例を検討する．（条件文については坂原（1985, 139–150）を参照．）if P, then Q（P ならば Q）という言語表現であるが，通常の条件文とは異なり，真理関数表の質量含意 P → Q で捉えられないものを，疑似条件文と言う(T＝真，F＝偽)．

前件 (P)	後件 (Q)	質量含意 (P → Q)
T	T	T
T	F	F
F	T	T
F	F	T

通常の条件文では，前件が真で後件が偽の場合のみ，if P, then Q は成り立たないが，それ以外はすべて成り立つ．そして，次の例からもわかるように，前件が成り立つことが十分条件（sufficient condition）になっているというのが通常の条件文の分析で，これを十分条件仮説（sufficiency hypothesis）と言う．

(72)　If I have enough money, I shall go on vacation this summer.

(72) では，「今年の夏に休暇に出かける」という後件の実現には，「お金が十分ある」という前件の仮想的事態の実現が影響を与え，十分条件となっている．お金があって，今年の夏は休暇に行かない場合は if P, then Q は成り立たないが，お金があって休暇に行く場合，お金がなくて休暇に行く場合，お金がなくて休暇に行かない場合は，すべてが成り立つ．

(73)　If he dies, his son will inherit the castle.

この例では，'he dies and his son does not inherit the castle' の場合のみを上記の真理関数表は排除し，それ以外は成り立つというものである．

　ところが，このような通常の条件文の真理関数表では捉えきれない，十分条件仮説に違反する次のような疑似条件文がある．以下では，メタ表示という考え方を導入して，関連性理論で説明してみよう．

(74)　If you are hungry, *there's a sandwich in the fridge*.

(74) は「聞き手が空腹である」という前件の事態と，後件「冷蔵庫にサンドイッチがある」という事態には，通例直接の因果関係はない．聞き手が空腹であってもなくても，冷蔵庫の中にサンドイッチが存在する．それゆえ，(74) は上記 (73) のような通常の条件文での分析は困難で，関連性理論では (74) の前件と後件の因果関係をより明示化するため，次のように後件にメタ表示 'I inform you that' をつけて分析する．つまり，(74) は「(お腹がへっているなら)教えてやるが(冷蔵庫にサンドイッチがある)」の意となり，(74') のように表示される．

第 4 章　言語の記述的用法と解釈的用法　131

(74′)　If you are hungry, *I inform you that* there is a sandwich in the fridge.

(75)も，後件を (75′) の斜字体のように豊かにすることで説明できる．

(75)　If I may say so, *that's a crazy idea*.
(75′)　Whether the speaker may say so or not, *the speaker thinks* that's a crazy idea.

(76)も，「太陽が東から昇る」ことは「話し手が潔白である」ことの十分条件ではないので，問題である．

(76)　If the sun rises in the east, *I am innocent*.

(77B) の 'two and eleven makes thirty' は，数学をもっと勉強する必要があることの十分条件ではないし，数学をもっと勉強する必要ありと結論づけるための十分条件でもない．(77B) の前件を (77′B) の斜字体のように拡充することで説明される．

(77)　A:　Two and eleven makes thirty.
　　　 B:　If *two and eleven makes thirty*, you need more work on maths.
(77′)　B:　If *you say / believe that* two and eleven makes thirty, you need more work on maths.

次に，前件がメタ表示の場合で，意味内容が類似している例を見てみよう．
(i)　先行発話の命題(の一部)を解釈して，前件のメタ表示とした場合:

(78)　A:　I have two daughters. The older one is clever and the younger one is beautiful.
　　　 B:　If *the younger daughter is beautiful*, I will choose her.

(78B) は 'If the younger daughter is beautiful, *as you say*, I will choose her.' のように，挿入的な as you say で分析可能である．

(ii) 書かれた情報(視覚情報)を前件のメタ表示とした場合:

(79) ［道路標識に ROADWORKS AHEAD, DELAYS POSSIBLE と書かれたものを見て］
Driver: If *delays are possible*, delays are necessary.

(79) は 'If *they say* delays are possible, delays are necessary.' と分析可能である。

(iii) (80A)の静かにせよというジェスチャーにより，その背後にある思考を前件としてメタ表示した，(80B)のような場合もある．

(80) A: ［ジェスチャーで，しーっと指を口にあてる動作をして，赤ん坊の寝ているベビー・ベッドの方を指して］
B: If *we have to be quiet*, we will play outside.

次は言語形式が類似している場合である．(81)は発音の類似の例である．

(81) A: I eat TOMEIDOUZ. (TOMEIDOUZ は tomatoes のアメリカ英語発音)
B: If *you eat TOMEIDOUZ*, you must be from America.

(81B) は 'If you eat things *you call* "TOMEIDOUZ", you are from America.' と分析され，前件は「あなたが，TOMEIDOUZ と発音するものを食べるなら」の意となる．

なお，エコー疑問文と同様に疑似条件文でも，(81)のほかに形態論上の類似，語強勢の類似，言語使用域の類似，強調 (emphasis) の類似の例も可能である．上記の例 (52)–(56) を参照のこと．

次に，後件にメタ表示がある場合を見てみよう．

(82) ［出かけようとしている母親に息子が次のように言う］ Mum, don't worry. If I'm hungry, *there's a sandwich in the fridge*.

(82)の後件は，話し手(＝息子)がその状況でこの先にもつかもしれない

思考をメタ表示したもので，'If the speaker gets hungry, which his mother may be worrying about, *he will remember that* there's a sandwich in the fridge.' と分析可能である（⇒ (74)）．

(83) If I haven't already asked you to do so, *please sign the guest book before you go.*

(83)の後件は，前件が満たされれば，話し手が言いたい命令内容をメタ表示したもので，'If the speaker has not already asked you to do so, he is metarepresenting a direction (= please sign the guest book before you go) which he would want to give.' と分析可能である．

(84) ［ドアのベルが鳴っている場面で］
　　 Mary to Jane:　If that's John, *I'm not here.*

(84)の後件は，ドアのところにジョンが来たら，メアリーがジェインに言ってもらいたい発話を，望ましい状況としてメタ表示したもので，'If that's John, *you tell him* I am not here.' と分析可能である．

(85) ［ドアのベルが鳴っていて，ジェインはメアリーがジョンに会いたくないことを知っている場面で］
　　 Jane to Mary:　If that's John, *are you not here*?

(85)は二重のメタ表示を含む場合で，疑問文のメタ表示と，話し手以外の人に帰属する発話によるメタ表示である．'If that's John, *you want me to tell him* you are not here.' と分析可能である．

次に，後件が形式上の類似性に基づくメタ言語的用法の場合を見てみよう．

(86) ［ドアのベルが鳴っている場面で］
　　 Mary to Jane:　If that's John, "Sorry, I'm afraid she's out."

(86)の後件は，メアリーがするはずの発話を直接引用している．

(87) If I don't see you before Christmas, *"Merry Christmas!"*

(87)の後件は，前件が成り立つとき，話し手がしたいと思っている発話

を表示している.

(88) *He trapped two mongeese*, if that's how you make a plural of "mongoose."

(88)では，後件が最初に発話され，もしも正しく言うとするとこういう形式で言いなさいと，メタ表示を使用している.

メタ表示分析の利点は，次のようにまとめられる：

(i) メタ表示は，過去・現在の発話・思考のみでなく，これから先に生じるもの，可能なものにも適応できること.
(ii) メタ表示は，言語形式が表示されている場合も取り扱えること.
(iii) メタ表示による説明は，後件が疑問文や命令文のものも可能であること.

さらに，複雑な場合には，前件・後件がともにメタ表示を含むことがある.

(89) Travel agent: Mexico City is beautiful.
　　　Customer: If Mexico City is beautiful, do they have a room?

(89)では，命題 'Mexico City is beautiful' と 'they have a room' は，真理関数的には関係づけられないが，前件は旅行業者の先行する発話をメタ表示したもので，'If *you say / think* Mexico City is beautiful' と拡充され，後件は，前件が発話された場合に客がしたいと思っている発話をメタ表示したものである.

(90) A: I eat TOMEIDOUZ.
　　　B: If *you eat TOMEIZOUZ, I eat TOMATOUZ*.

(90)は 'If *you say* you eat TOMEIDOUZ, *I say* I eat TOMATOUZ.'，あるいは 'If you eat *what you call* TOMEIDOUZ, I eat what I call TOMATOUZ.' と分析可能で，「あなたがアメリカ英語で発音する TOMEIDOUZ を食べるなら，僕はイギリス英語で発音する TOMATOUZ を食べるよ」の意である.

第4章　言語の記述的用法と解釈的用法　135

次は，反事実を表す直説法条件文（counterfactual indicative conditional）の場合である．

(91)　［ローマ法皇がスイスの小さな村で電話交換手に電話して］
　　　Pope:　　I'm the Pope.
　　　Operator:　*If you're the Pope, I'm the Empress of China.*

(91) の分析は，'If *you say* "I'm the Pope," *I say* "I'm the Empress of China."' (91) の電話交換手の発話の後件は，単に前件が成り立つと言っているのではなく，話し手は相手がそう言うなら，こちらもこう言いたいという冗談の発話を表示している．「相手がローマ法王と言うなら，こちらは中国の女帝(とでも言ってやる)」の意である．毛利 (1980, 139) はこのような場合を，疑似仮定と呼んでいる．

次は，メタファーを含む条件文（metaphorical conditional）の例である．

(92)　If *the Cite is the heart of Paris, the Latin Quarter is its soul.*

(92) の前件は，'the Cite is the heart of Paris' という思考・発話をメタ表示し，'If *we think / say* the Cite is the heart of Paris.' となり，後件は前件が発話された場合に，話し手が言いたい思考・発話を表示して，'*we should think / say* "the Latin Quarter is its soul"' と拡充される．

問題は，(93) のように前件と後件の間にギャップがある場合に，いかなるメタ表示を用いるか，恣意的である点である．たとえば，孤児院に来て養子をさがしている夫婦に対して，(93) は「もし女の子がほしいなら，教えてあげるが，スーザンはフランス語が話せるので，(いい子ですよ)」のように，語用論的に豊かにできるし，「もし女の子がほしいとあなた方がおっしゃるなら，教えてあげるが，スーザンはフランス語が話せるので，(いい子ですよ)」のようにも拡充できる．

(93)　Stuart:　You know, *if you want a girl, Susan can read French.*
　　　　　　　　（Brian Stainer, *Screenplay: Stuart Little*, p. 36）

4.3.4 メタ言語的表現の分析：メタ言語的否定

メタ言語的否定と普通の記述的否定文の違いについて，まず見てみよう．

(94)　a.　*We didn't see the hippopotamuses*. We saw the rhinoceroses.
　　　　　(not P. Q)
　　b.　*We didn't see the hippopotamuses*. We saw the hippopotami.
　　　　　(not P. P)　　　　　　　　　　　(Carston 1996a, 310)

普通の記述的否定文では，(94a) のように「私たちはカバを見た」(= P) という事実を否定して，「サイを見た」(= Q) という事実の修正が後続する．not P. Q と形式化できる．ところが，メタ言語的否定の (94b) では，私たちが見なかったものも見たものも，同じ複数のカバを指している．形式化すると not P. P となる，と Carston は説明する．通常の記述的否定文では矛盾になるはずであるが，(94b) は意味をなしている．ここで否定されているのは，上記のような事実ではなく，メタ表示，すなわち言語形式であり，名詞 hippopotamus の複数形は規則的に -es をつけるのではなく，不規則の複数形 hippopotami であることが問題となっている．

さらに，メタ言語的否定の特徴を知るため，以下の例を見よう．

(95)　a.　A:　John managed to solve some problems.
　　　　　B:　John didn't manage to solve (some / *any) problems —
　　　　　　　they were quite easy.
　　b.　She is (not happy / *unhappy); she is ecstatic.
　　c.　She's not HAPPY: she's ECSTATIC.
　　d.　Max isn't not very tall; he's a dwarf.
　　　　　　　　　　　　　　　　　　　(Burton-Roberts 1989)
　　e.　I didn't meet a woman last night; I met my wife.
　　　　　　　　　　　　　　　　　　　(Horn 1989)
　　f.　The king of France is not bald; there is no king of France.
　　　　　　　　　　　　　　　　　　　(*ibid.*)

(95a) のメタ言語的否定を含む B の発話は，先行発話 "John managed to

第4章　言語の記述的用法と解釈的用法　137

solve some problems." に言及するので，通常の否定文では not ... any problems となり，否定極性項目 any が用いられるが，メタ言語的否定の B では，not ... some problems が用いられ，any は不可である．(95b) では，通常の否定文では not happy は1語で unhappy と語彙化する可能性があるが，happy という語では言い表せなくて，ecstatic という語の方が適切というメタ言語的否定では，形容詞 happy と否定辞 not が1語に組み込まれた unhappy は不可である．(95c) では，大文字の HAPPY と ECSTATIC は，言語形式の置き換えを示すため対照強勢を受ける．(95d) では，通常の否定文では二重否定が肯定に転じるが，メタ言語的否定ではこの論理的法則は適用できず，Max isn't not very tall = Max is very tall とはならない．ここでは，not very tall という表現と dwarf という表現を比べている．(95e) の "I didn't meet a woman last night" の発話が暗に意味していることは，会った女は自分の妻や娘など身内ではない人であり，メタ言語的否定では，この推意を否定している．(95f) の "The king of France is not bald" という表現から，前提として，フランスには王がいると考えていることが伝わるが，メタ言語的否定では，この前提は間違いであることを示している．

　メタ言語的否定の特徴は，次のようにまとめられる（Carston 1996a, 1998; Noh 2000, 105）．

(i)　　メタ言語的否定は，否定の影響を直接受けない，非真理関数的である．
(ii)　　メタ言語的否定の後に，訂正する節が続く．
(iii)　　メタ言語的否定は，"I object to U."（否定語を除いた残りの発話 U に異議がある）や，"U is not assertable."（U ということは主張できない）というように，肯定の発話に対する返答（rejoinder）として生じる．
(iv)　　メタ言語的否定は，（否定節の文末上昇という）矛盾を示すイントネーション曲線となり，問題となる言語形式とその置き換えの形式とは，それぞれ対照強勢を受ける．
(v)　　メタ言語的否定には，先行発話を引用したり言及したりして，以

下の3つの特徴がある：
- (a) 形態論的に，メタ言語的否定は語彙的に他の形容詞と1語になる編入 (incorporate) 操作は受けない．
- (b) 否定極性項目はメタ言語的否定で使用できない．
- (c) 二重否定の論理的法則を，メタ言語的否定は排除する．

(vi) Aの発話 (Mary is sometimes late.) に対する，Bのやり取り (Mary isn't *sometimes late* — she is always late.) のように，notの作用域に入る要素 (sometimes late) はエコー的に用いられ，メタ表示される．

ただし，問題点として，メタ言語的否定は "not" を使用しなくても達成できるということがある．次の (96) の B1, B2 では not は明示的に含まないが，tomato の複数形の発音に関して，メタ言語的に相手 A の発音に反対している．

(96) A: Would you like some tomeiDouz?
　　　B1: I'd rather have some toma:touz.
　　　B2: I'd prefer toma:touz.

なお，関連性理論では，メタ言語的否定はエコー的であり（上記の (vi) 参照），解釈的と考え，not そのものが記述的とメタ言語的の2種類あるとは考えず，記述的否定，メタ言語的否定の両方の場合に，not は同一の真理関数的演算子であると考える．

Carston (1996a) は，メタ言語的否定を非明示的エコー用法 (implicit echoic use) として特徴づけ，関連性理論で説明を試みたが，次のようにエコー的用法でないメタ言語的否定もあり，問題である．

(97) A: The teacher used the rod of love to make us learn better.
　　　B: But some teachers didn't use the rod of love; they simply used violence. （Noh 2000, 130）

メタ言語的に否定されるものは，多様である (Carston and Noh 1995)．メタ言語的否定が前にくる場合を，まず見てみよう．

第 4 章　言語の記述的用法と解釈的用法　139

(98) a. Around here *we don't eat toma:touz*, we eat tomeiDouz.
　　 b. *It isn't WARM out there*; it's HOT.
　　 c. *I haven't DEPRIVED you of my lecture on negation*; I've SPARED you it.
　　 d. *She's not my MOTHer*; she's my female progenitor.
　　 e. *The President of England ISn't foolish*; there IS no president of England.

(98a)は，音声的特性[toma:touz]という発音を否定する場合，(98b)は，尺度含意を暑さの度合いで表すと，warm という語が適切でないとして否定する場合，(98c)は，deprive という語による慣習的含意を否定する場合，(98d)は，mother という語によるある種の含みを否定する場合，(98e)は，定冠詞による存在前提を否定する場合である．

(99)　[誕生カードの表書き]
　　 This Birthday Card is NOT from one of your admirers.
　　 [カードの中に書かれたメッセージ]
　　 It's from TWO of your admirers.
　　 HAPPY Birthday from both of us.　　（Carston 1996a, 312）

(99)のカードをもらった人は最初，表書きの NOT を通常の否定と読み，次に中に書かれたメッセージを見て，メタ言語的否定と解釈し直す．このように処理労力を複雑にすることで，ユーモアという効果を得ている．
　次のように，メタ言語的否定を含む節が後にくることも可能である．

(100) a. Maggie's patriotic AND quixotic; *not patriotic OR quixotic*.
　　　 b. I've SPARED you my lecture; *I haven't DEPRIVED you of it*.
　　　 c. It's downright HOT out there, *it's not WARM*.

引用を含む場合は，最初の節にメタ言語的否定がくる．

(101) a. *I'm not 'his child'*; he's my father.

b. *You didn't see two 'mongeese'*; you saw two mongooses.

Carston (1996a) は，メタ言語的否定がエコー的用法であり，話し手は not を使うことで，自分はそうは思わないという態度を明示的に示すと特徴づけている．

問題点として 2 点あげると，1 つ目の問題は，(102) は not ではなくて no を用いているが，メタ言語的否定である．not のみでなく，no の場合もどのように扱うかの検討が必要である．(102) では，おもちゃの船をレース中に操縦しているのは人間のリモコンでなく，たしかにネズミだが，一方では，このネズミは人間の家族に養子としてもらわれたネズミなので，男の子からすると brother でもある．ここでは，「あれは，単なるネズミでなく，僕の弟と呼んでくれ」の意である．

(102) 　Woman:　Who is that mouse, anyway?
　　　　George:　*That's no mouse. That's my brother.*
　　　　　　　　（Brian Stainer, *Screenplay: Stuart Little*, p. 144）

2 つ目の問題は，エコーをさらに細かく分析する必要があるとの主張である．Iwata (1998) は，先行する文全体がエコーしている場合と，その一部にエコーしている場合を区別し，後者をエコーの焦点 (focus of echo) と呼んでいる．

(103) 　A:　So you managed to remove many *alga* in the pool.
　　　　B:　*I didn't manage to remove many alga in the pool.*　I managed to remove many *algae* in the pool.

(103B) は A の発話全体にエコーしているが，alga という表現の訂正をしている．[　] は否定の作用域，< 　> はエコーしている部分という形式化をし，斜字体はエコーの焦点(中心)化されている要素を示すとすることで，(103B) の場合は次のように表すことができる．

Neg [< I managed to remove many *alga* in the pool >]

次の例も同様である．

(104)　A:　So you managed to remove many algae in the pool.
　　　　B:　I didn't MANAGE to remove many algae in the pool.
(105)　A:　So you managed to remove many algae in the pool.
　　　　B:　I didn't manage to remove MANY algae in the pool.

(104B), (105B) の違いも，それぞれ次のように形式化できると Iwata (1998) は言う．

　　Neg [< I *managed* to remove many algae in the pool >]
　　Neg [< I managed to remove *many* algae in the pool >]

なお，最新のメタ言語的否定については Yoshimura (2000b, d, e)，Carston (2002, Chap. 4) を参照のこと．

4.4　伝統的レトリックの再分析

具体例 (106) から見ていく．(106a) はメタファー，(106b) はメトニミー，(106c) はアイロニーと，伝統的には分類されるかもしれないが，それぞれ聞き手あるいは読者はどのように理解しているのであろうか．

(106)　a.　*Bears* maul Asian Stocks
　　　　　　　　　　(*Mainichi Daily News,* April 18, 2000)
　　　　b.　Buzz, I was *a yo-yo*.
　　　　　　　　　　　(Leslie Goldman, *Toy Story 2*, p. 75)
　　　　c.　Young man:　I'm not a criminal!
　　　　　　Sheriff:　"*I'm not a criminal!*"　Everybody's human-being.
　　　　　　(American Gothic, "Rebirth," Renaissance Picture: 春木 (2000, 38) に引用)

(106a) の bear の意味は，*LDOCE*[3] には "someone who sells shares or goods when they expect the price to fall" とある．すなわち，記号化された「熊」の意から「(相場が安くなるとみて株を売る)売り方」(『ジーニアス英和大辞典』)の意となる．(106b) は「話し手である人形ウッディがヨー

ヨーのおまけに昔使われていた」の意，(106c)は相手の言った否定文を繰り返して皮肉っている場合である．このような現象を，従来のレトリックと関連性理論がどのように見るか，まず概観してみよう．

従来の修辞学および Grice 流語用論のレトリック分析の考え方をまとめると，次のようになる．

- (i) すべての発話には，文字どおりの意味がある．
- (ii) 発話により意味されていることは，パラフレーズにより言い換え可能である．
- (iii) 伝達の基準は，文字どおりに，正しいこと (truthfulness) を言うことである．
- (iv) メタファーやアイロニーなど修辞的用法は，文字どおりで正しいことを言う基準からの逸脱である．
- (v) 修辞的用法で言われていることは，パラフレーズにより言い換え可能であり，修辞的用法は単に飾り立てるため (decorative) にある．

一方，関連性理論によるレトリックの分析をまとめると，次のようになる．

- (i) 文字どおりの意味というものは存在するが，例外的なものである．
- (ii) 発話が意味することは，パラフレーズとは異なる．
- (iii) 文字どおりに本当のことを言うことは，伝達の基準とはならない．
- (iv) 修辞的用法は，基準からの逸脱ではない．
- (v) 修辞的用法は，パラフレーズで説明できない．
- (vi) 文字どおりの発話，ルースな発話，修辞的用法はすべて，同じようなプロセスで意味理解が行われる．発話が出発点となり，少ない処理労力で理解をし，関連性が達成されれば，そこで解釈は終わる．
- (vii) 文字どおりの発話，ルースな発話，修辞的用法は，その意味の種類に違いはなく，話し手・聞き手がその意味決定において果たす

　　　　役割が，部分的に異なっているだけである．
（viii）関連性の原則は，意図明示的伝達に関する一般化であり，話し手・聞き手はこの原則を，Grice 流の協調の原則のように前もって知っている必要はない．
（ix）　関連性の原則は，例外なく適用される．すべての意図明示的伝達は，関連性の見込みを伝達する．メタファーや他の修辞的用法（誇張表現，メトニミー，シネクドキなど）は，単にこの認知的一般原則を創造的に適用したにすぎない．
（x）　それゆえ，メタファーなど修辞的用法には，特別な解釈能力とか手続きは必要としない．言葉による伝達に必要な，きわめて一般的認知能力と手続きの結果，自然に出てくるものである．
　　　　　　　　　　　　　　　　　　（Sperber and Wilson 1995², 237）

4.4.1　メタファーの分析

従来のメタファーと語用論の問題点を，4点あげておく．

1つ目は，コンテクストという概念を静的に捉えていて，それに基づきメタファーを説明しようという立場が多いが（Pilkington 2000, 117），関連性理論ではコンテクストは前もって与えられるものではなく，関連性の原則と一致した形で，その場その場でオンラインに解釈するときに構築されるものである．問題は，(107)のように同一の発話が同じ状況で，文字どおりにもメタファーにも解釈可能なものがあり，従来の語用論では説明に疑問が生じる場合である．

(107)　a.　Freud lived here.
　　　　b.　He is a genius.

2つ目は，従来の語用論ではメタファーを，「本当のことを言うこと」という質の格率（a maxim of truthfulness / quality）に違反したものと捉えて，範疇が人間なのに食べ物の中に入っている(108)の場合のように，範疇上の偽（category falsity）を生じる場合である．文字どおりの解釈ができないため，メタファー解釈のための余分な認知機構を立て，(108)がその原則に違反すると推意が生じて，"You are my pride and joy." の意が伝

わると説明する．この立場には無理がある．

(108) You are the cream in my coffee.　　　（Grice 1989, 34）

たとえば，(109)は偽ではなく，常に真の発話であるが，メタファー解釈が可能である．

(109) No man is an island.

3つ目は，さらに質の格率の「本当のことを言うこと」に違反したものが，メタファーなのか，メトニミーなのか，控えめ表現，誇張表現，アイロニーなのかを，どのようにして説明するかという問題である．聞き手に対し，メタファー発話を聞いてから意図された解釈に至るための，メタファーだけに適用される原則と推論規則の明示的説明が必要となる．たとえば，Searle (1979)は，メタファーの異なるタイプを取り扱うために8つの原則を立てているが，以下でそのうちの1つを考えてみる．

(110) Sam is a giant. （メタファー）
　　　Sam is big. （パラフレーズ）

Searleは，メタファー"Sam is a giant."は常に"Sam is big."にパラフレーズされるとしているが，問題は，giantの意味が「巨人，肉体的に大きな人，偉大な才能の持ち主，重要な人物，偉大な音楽家か作家，巨大企業」と解釈が揺れる可能性があり，その中のどの解釈を聞き手が取るかを説明する必要があることである．関連性理論では次のように，聞き手がどの想定を選び出すかで推意の結果が異なることから説明できる．

(110) 発話： Sam is a giant.
　　　想定： (a) A giant is a big man.
　　　　　　(b) A giant is a politically important man.
　　　　　　(c) A giant is a great musician / writer.
　　　　　　(d) A giant is a big company.
　　　推意： 発話＋想定 (a) → Sam is a big man.
　　　　　　発話＋想定 (b) → Sam is a politically important man.

第 4 章　言語の記述的用法と解釈的用法　145

　　　　発話 + 想定 (c) → Sam is a great musician / writer.
　　　　発話 + 想定 (d) → Sam is a big company.

　最後に 4 つ目は，メタファー発話が，文字どおりの発話で同等の意をパラフレーズできるかということである．たとえば，(111a, b) がどのように異なるのかという説明が必要である．

（111）　a.　*He was burning with anger.*
　　　　b.　He was extremely angry.

日本語でも「怒りで体が熱くなった，頭に血が上った，青筋を立てて怒った，膨れた顔をした，顔を真っ赤にして怒った，声を震わせて怒った，前後の見境がつかないくらい怒った，怒りが爆発した，頭にかちんときた，むらむらと怒りが込み上げてきた，胸がむかむかした，腹に据えかねた，切れた」など，多くの怒りの表現が存在する．これらすべてが，「とても怒っていた」という単純な言い換えとどう違うのか，なぜ，このように多くの種類の表現があるのかを説明する必要がある．（認知意味論からの怒りに関する Kövecses (1995) なども参照のこと.）関連性理論では，(111a) では burn という概念から生じる想定の中で，burning することと感情的に怒ることが類似していると説明できる（Pilkington 2000, 157）．また，処理労力という観点からも，(111a) は (111b) よりも多くの処理労力が必要で，それによる認知効果も出てくるのである．なお，(111a) は誇張表現という解釈も可能である．従来の理論では，誇張表現は文字どおりの解釈に基づき，メタファーは暗黙の比較に基づくという考えであったが，これは間違いで，関連性理論では，両者はまったく同じ原則で説明可能であるとする．

　関連性理論によるメタファーの分析の主な特徴をまとめると，次のようになる．

（i）　関連性理論の標準的な分析では，弱い推意の束，すなわち，複数の思考を経済的に伝達する方法がメタファーであり，創造的なメタファーになればなるほど，弱い推意がたくさんできる．推意

が，数が少なくて強いほど，そのメタファーは慣習的である．
(ii) メタファー発話と思考との間には，100％とはいかないが何らかの類似性が含まれている．
(iii) メタファーや誇張表現やその他の多くの修辞的用法は，単にルース・トークの特別な場合にすぎないと考える．

なお，関連性理論の専門用語には，メタファー (metaphor) という用語などはなく，概念のルース化 (loosening) の問題として扱われる．

(112) では，the sun の可能な想定のうち，(a), (b) は発話とは関連性がなく，(c) だけに関連性がある．これは，この発話において the sun の概念が，(c) のような意味へと狭くなっていると説明可能であり，また，発話で記号化された概念と伝達された概念には，両者を結びつける解釈的類似性があると言える．

(112)　発話： Juliet is the sun.
　　　　想定： (a) The sun is gaseous.
　　　　　　　 (b) The sun is 90 million miles from the earth.
　　　　　　　 (c) The sun gives us heat and light.
　　　　推意： 発話 + 想定 (a) → Juliet is gaseous.
　　　　　　　 発話 + 想定 (b) → Juliet is 90 million miles from the earth.
　　　　　　　 発話 + 想定 (c) → Juliet (has a certain character which) gives us heat and light.

(113) のメタファー発話は，1つの表現で同時に弱い推意を3つ発すると考えられる．

(113)　発話： This place is a dump.　　　(Pilkington 2000, 93)
　　　　指示付与： This place refers to the speaker's office.
　　　　想定： 概念 dump の百科事典的項目からくる情報
　　　　　　　 (a) A dump is untidy.
　　　　　　　 (b) A dump smells.
　　　　　　　 (c) A dump is strewn with rubbish.

推意： 発話＋指示付与＋想定 (a) → The speaker's office is untidy.
発話＋指示付与＋想定 (b) → The speaker's office smells.
発話＋指示付与＋想定 (c) → The speaker's office is strewn with rubbish.

関連性理論では，このようなメタファー発話も次のような文字どおりの発話も，同じプロセスで処理できるとする．たとえば，Royal Academy の展覧会のチケットを買うので列に並んでいるときに，チケットの値段を聞くために次のような発話をした場合を考える．

(114) 発話： *I'm a student.*
想定： (a) The speaker wants to buy a ticket for the exhibition.
〈以下は STUDENT の概念からくる想定〉
(b) Students pay half price for an entrance ticket.
(c) Students attend lectures.
(d) Students can withdraw books for three weeks.
(e) Students are dedicated to the pursuit of knowledge.
推意： 発話＋想定 (a)＋(b) → The speaker wants to buy a half price ticket for the exhibition.

すなわち，概念 student が (c), (d), (e) ではなく (b) だけに狭くなり，発話と想定 (a)＋(b) から，メタファーの場合と同様に推意を演算している．

例文 (9b) と同じ状況で (115) が発話されたとすると，以下のように推意が計算できる．このメタファーは，弱い推意をいくつか同時に生み出すのである．

(115) 発話： *Holland is a picnic.*

想定：　(a) Going on a picnic takes little effort.
　　　　　　(b) Going on a picnic is a pleasant and relaxed affair.
　　推意：　発話＋想定 (a) → Going to Holland takes little effort.
　　　　　　発話＋想定 (b) → Going to Holland is a pleasant and
　　　　　　　　　　　　　　　　relaxed affair.

　関連性理論によるメタファー説明の利点は，いわゆる死喩（dead metaphor）や慣習的メタファーと創造的なメタファーの，創造性（creativity）の違いを説明できることである．(i) メタファーの創造性が豊かであればあるほど，読み手・聞き手はより多くの弱い推意を生み出し，(ii) よく使われる慣習的メタファーは，少ない数の（あるいは1つだけの）推意を生み出す．(116) のように，創造的メタファーは非常に多くの弱い推意を作り出している．

　(116)　発話：　Son encre est pale '*His ink is pale.*'
　　　　　想定：　(a) *Leconte de Lisle's writing is 'pale.'*
　　　　　　　　　(b) Pale means weak.
　　　　　　　　　(c) Pale means lacking contrast.
　　　　　　　　　(d) Pale means fade.
　　　　　　　　　(e) Pale means sickly.
　　　　　　　　　(f) Pale means not last.
　　　　　　　　　(g) Pale means not to put one's whole heart into one's work.
　　　　　推意：　*Leconte de Lisle's writing is weak.*
　　　　　　　　　Leconte de Lisle's writing lacks contast.
　　　　　　　　　Leconte de Lisle's writing may fade.
　　　　　　　　　Leconte de Lisle's writing is sickly.
　　　　　　　　　Leconte de Lisle's writing will not last.
　　　　　　　　　Leconte de Lisle's writing does not put his whole heart into his work.

　詩的メタファー（poetic metaphor）は，弱い推意で分析することがきわめて難しい例である．

(117)　　Now does he feel
　　　　His secret murders sticking on his hands
　　　　　　　　　　　　（Shakespeare, *Macbeth*, V. ii. 16–17）

(117)は，たとえば，

(a)　Macbeth cannot forget his murders.
(b)　Macbeth is obsessed by his murders.
(c)　Macbeth is desperate about his murders.

のような弱い推意をもつ可能性はあるが，推意をすべて作り出すことは困難である．Wilson（2000）はこのような場合を持続的メタファー（sustained metaphor）と呼んで，(118), (119)の例をあげている．

(118)　Love is the lighthouse and the rescued mariners.
　　　　　　　　　　（Oshar Davicoの詩: Carston（1996b）に引用）
(119)　Life's but a walking shadow; a poor player,
　　　　That struts and frets his hour upon the stage,
　　　　And then is heard no more:
　　　　　　　　　　　　（Shakespeare, *Macbeth*, V. v. 24–26）

　メタファーを以上のように推意で分析する立場と，アドホック概念形成による表意で分析をする立場があるが，Pilkington（2000, 95–96）とCarston（1998, 2002）は，後者の立場を支持している．主な証拠としては，アドホックに概念を拡げたり狭くしたりして概念構築することは，両方とも表意に関係することで，Grice流のメタファー分析が含意（implicature）によるものであったのに，関連性理論もまた推意（implicature）のみで分析すると，むしろ，Grice流のメタファー分析に逆戻りするのではないかという懸念があるからである．ただし，アドホック概念形成ですべての発話のメタファーを説明することも困難である．持続的メタファーの場合と，次の(120B)のように発話全体がメタファーになっている場合が，特に問題となる．

(120)　A:　What kind of mood did you find the boss in?

B: *The lion roared.* （Levinson 1983, 153）

（120B）は，「ライオンが吠える」こと全体が boss が怒るのに似ている場合である．

関連性理論のメタファー分析の問題点を，5点述べておく．

1つ目は，否定とメタファーの問題である（Carston 1996a, 1998; Carston 2002, 345–346）．

(121) a. Engelbert isn't a human being; *he's a wild*.
b. Engelbert isn't a surgeon; *he is a butcher*. ［エンゲルバートは本当は外科医である場合の発話］
c. Huckleberry isn't a butcher; *he's a surgeon*. ［ハックルベリーはもともと肉屋である場合の発話］
d. Ari isn't a lion; *he's a pussycat*. ［アリは本当はライオンである場合の発話］
e. Huckleberry isn't a human being; *he's a buddha*. ［ハックルベリーはもともと人間である場合の発話］

（121a）の例を詳しく見てみよう．Engelbert が人間であることには間違いないが，ここでは，a human being の指す概念が「人間全体」ではなく，「思いやりのある/哀れみのある/より文明化された人間」を指すように，概念の狭めが前半で行われ，後半では，beast の概念は本来「野獣」であり，人間はその中に入っていないが，ルースになり，「性格の荒っぽい人間」もその概念に含める，メタファーによる概念の緩め(拡充)が行われている．このように，一方で概念が狭くなり，一方で概念が拡がるという面白い現象であり，残りの例も同様に説明が可能である．

2つ目は，メタファーと心理言語学的実験結果の問題である．心理言語学的実験結果は，「聞き手は，文字どおりの発話よりメタファー理解に余分な処理労力を通常必要としないことは明らかである」（Gibbs 1994, 232）として，関連性理論のメタファー解釈に余分な処理労力がいるという説は，成り立たないことを示している（Gerrig 1989; Gibbs 1984, 1994）．

(122) a. *The winter wind gently tossed the lacy blanket.*

b. Joan didn't want to put her silk blanket in her automatic dryer. Although it was January, she risked putting it on the clothes-line. *The winter wind gently tossed the lacy blanket.*
c. Joan looked out into her yard with great excitement. Over night, a layer of snow had covered the ground. *The winter wind gently tossed the lacy blanket.*

問題は心理言語学者が，(122a) の発話で (122b) は文字どおりの解釈，(122c) はメタファーの解釈と前もって決めて，被験者にデータを与えて実験をしていることである．つまり，Pilkington (2000, 111) が述べているように，心理言語学者が利用しているメタファーのデータは，詩的メタファーとしてあげているにもかかわらず，本来は処理するのに時間があまりかからない慣習的メタファーを用いている．この種のメタファーが文字どおりの発話と同じくらいに短時間で処理できるのは，頻繁に利用されることにより，すでに想定がひとかたまりのメタ表示として聞き手の頭の中に存在するからである．Gibbs (1994, 232) はまた，メタファーをルース・トークとする考え方にも反対し，特に発話の命題形式がメタファーによって作られる意味を直接反映したものでなく，話し手の思考に類似しているという点に問題ありとしている．これは，関連性理論では，思考を表す命題形式と，思考を伝達するのに使用される発話が表す命題が，必ずしも完全に一致していないという前提なので，Gibbs のルース・トークに対する反論は，人間の伝達に関する関連性理論の根本に関わる誤解があるように思われる (Pilkington 2000, 89–90)．

3つ目の問題点は，メタファーと知識に関することである (Pilkington 2000, 112–121)．

(123) Richard is a gorilla.

このメタファーを理解する際に，ある人は，

(a) Gorillas are sensitive.
(b) Gorillas are shy.

(c) Gorillas are found in the mountains of certain areas of Africa.

のような事実に関する想定（factual assumptions）を，ゴリラの百科事典的項目の中に直接保存しているが，このような優しく繊細なゴリラのイメージとは矛盾する次のような想定も，同時に同じ項目の中にもつことになる．

(d) Gorillas are aggressive.
(e) Gorillas are prone to violence.

Sperber（1985, 54）は，後者の想定をメタ表示の想定（metarepresented assumption）と呼び，たとえば，"it is believed in this culture / society that P" のように，想定 P の上により高次のコメントがついたものが，同じ百科事典的項目に入っていることに矛盾は生じないと分析している．この考え方の利点は，メタファーを考えるときに，ある概念に対して相矛盾する想定がある場合に，どのように記憶ファイルに入っているかということを説明できることである（Sperber 1975, 1985）．

4つ目の問題点は，感覚とメタファーに関することである（Pilkington 2000, 184–185）．Sperber（1975, 115–123）は，色彩や視覚情報は人間の言語では語彙化されていて，記憶ファイルに保存されているが，匂いに関する情報は，認知的には区別できるが語彙化されていないので，1つの領域に記憶として保存されていないと考えている．共感覚的メタファーの現象や，擬音語・擬声語の研究などが，この問題と大いに関わる．以下，具体例を少し考えてみよう．

日本語では「酸っぱいまなざし」とは言わないが，英語の sour glance は，「もしも人が酸っぱいものを食べたら，そのときにする顔の様子」，すなわち「しかめっ面」のことで，関連性理論では，概念 sour のルースでアドホックな概念形成で説明できる．記号化された sour の概念は酸っぱい味であり，それと上に示した想定とで演算して，しかめっ面という顔の表情の伝達概念となる．認知意味論での説明のように，単に2つの領域間の写像（mapping）で，味の領域から視覚の領域（顔の表情の領域）へのメタファーと言うよりも，記号化された概念が，どのように聞き手が受け取

る意味に変化するかを説明できる関連性理論の方が，優れていると思われる．

(124) His brother gave him a *sour glance*.
(*British National Corpus*)

5つ目の問題点は，具体例 (125) からわかるように，創造的メタファーから慣習的メタファーまで連続した例が実在するので，このことを説明する理論が必要となるが，関連性理論はまさに，それが可能な理論なのである．

(125a) では dinosaur が，古代にいた恐竜の意から今は「役立たず」の意に，(125b) の peach は，果物から「親切な人」の意へ，(125c) の nut は，脳味噌が nut くらいしかないので「ばか」の意となるし，(125d) の dreamboat は，夢のように「かっこいい」の意となり，(125e) の square は，真四角から，性格などが「堅苦しい」の意となる．認知意味論ではこのような意味変化を，主観化 (subjectivity) の問題として扱うが，関連性理論ではすべて，想定と記号化された概念からルースな概念への拡張として説明が可能である．なお，(125e) の "Everybody who's anybody drinks." は，「ちょっとした人なら誰でもお酒くらい飲んでいるわ」の意．

(125) a. This computer was state-of-the-art when I bought it 6 years ago, but now it's a *dinosaur*.
b. Thanks for the ride. You're a real *peach*!
c. This so-called Dr. Brown is dangerous. He's a real *nut* case.
(Robert Zemeckis & Bob Gale, *Back to the Future*, p. 7)
d. Lorraine: Isn't he a *dreamboat*? (*ibid*., p. 39)
e. Lorraine: Marty, *don't be such a square*. Everybody who's anybody drinks. (*ibid*., p. 53)

関連性理論によるメタファー分析と認知意味論との比較をした，最新の論文については，〈http://sincronia.cucsh.udg.mx/implicexplic.htm〉に掲載された Francisco Jose, Ruiz de Mendoza Ibanez, and Lorena Perez

Hernandez (2001) "Cognitive Operations and Pragmatic Implication" を参照されたい.

4.4.2　メトニミーの分析
関連性理論によるメトニミーの分析には,これまでいくつかの代案が提出されている.

〈エコー的用法による分析〉
Papafragou (1995) により提案されたもので,概略次のようなものである.

(i)　メトニミー表現は,非明示的な概念のエコー的用法であり,直接指示 (direct referring) ではなく,命名 (naming) の具体例である.
(ii)　メトニミーは,1つの自然類を形成するものではなく,創造的なものから慣習化されて辞書に記述されているものまで,連続体としてある.
(iii)　メトニミー発話の命題形式は,表現しようとしている思考の文字どおりの解釈であり,発話の表意に関わる.
(iv)　ただし,この思考は複雑なもので,メタ表示であるエコー概念を含んでいる.

たとえば,(126) の the piano は,ある状況のもとで「ピアノを弾いている人」を指している.

(126)　*The piano* is in a bad mood.

また,(127) の動詞は名詞から派生したものである.(127a) の porch は創造的な用法で,「玄関」の意から「玄関に(新聞を)投げ込む」の意となり,(127b) の hoover は慣習化された用法で,アメリカで電気掃除機製造会社を設立した人の名前から「掃除機をかける」の意となり,辞書にも記載されている.

(127)　a.　I *porched* the newspaper.
　　　　b.　I *hoovered* my room.

〈解釈的用法による分析〉
　Papafragou (1996) は，すべてのメトニミーを説明するのにエコー的用法では狭すぎるので，概念の解釈的用法を用いる修正案を出している．それにより，メタファーは類似性 (resemblance) に基づくが，メトニミーは，結びつける 2 つの物が百科事典的知識の中で要素間のつながり (association) が問題となり，これを呼び出し可能性 (= アクセス可能性 (accessibility)) に関係する問題と呼んでいる．

〈メトニミーを表す命題形式に同時に 2 つの指示を付与する分析〉
　Carston (1996b) は，(128) の the wilting violet は具体的にある人を指すのに使用されるので，最終的な発話の命題形式には，個人を具体的に指す概念(たとえば JJ を指す)と，緩められた概念 wilting violet の両方が現れると考えている．

(128)　*The wilting violet* has finally left.
　　　命題形式：　JJ < wilting violet > has finally left.

この立場の問題点を 2 点あげておこう．
　1 つ目は，(128) の Carston の分析では，命題形式に 2 つの解釈を同時に認めることで，Sperber and Wilson (2002, 19) が「1 つの発話が同様に 2 つの解釈をもつことは，関連性の見込みとは相容れない．...なぜなら 2 つの解釈のどちらを選ぶかで，聞き手に不必要な処理労力を課すことになるから」と述べているとおり，聞き手に負担をかけることになるので，通常は 1 つの解釈に絞るという関連性の原則と矛盾してくるように思われる．ただし，しゃれとかことば遊びの世界では，(129) のように 2 通りの解釈の揺れを楽しむことが山梨 (2001) により指摘されているし，(130) では，著者 Sperber & Wilson はもともと複数の人間を指し示しているが，彼らの本を指して代名詞「それ」が用いられている．このような照応問題の解決にも，1 つの言語形式に 2 つの指示付与という問題が関係すると思われる．

(129)　A:　ここに台所をつくろうよ．

B:　勝手にすれば．　　　　　　　（小泉保編 2001, 185）
(130)　Sperber & Wilson を読んだが，それはとても難解だった．

(129B) は，「勝手に」が台所の意の「勝手」と「好きなように」の意の両方を命題形式としてもっている場合と考えられる．

2点目は，メトニミーとメタファーの共通点と相違点についてである．Carston (1998) によれば，次のような指示 (referring) 表現と叙述 (predication) 用法を区別して，メトニミーとメタファーは同じような状況で使用可能であり，ともに指示表現 (131a, b) はアドホック概念形成による分析が可能である．つまりニックネームとかとっさの名づけ (spontaneous dubbing) のように，解釈的用法を使って，指示付与と特別な認知効果を新たに形成した概念とで，説明が可能となる（⇒ (132a, b)）．

(131)　a.　*The pretty face* just went out.　（メトニミーの例）
　　　　b.　*The pretty doll* just went out.　（メタファーの例）
(132)　a.　*Nosey* has just left.　（以下2例はニックネームの例）
　　　　b.　*Prince Charming* is laying it on thick.

一方，be 動詞の後に生じる叙述用法の例 (133a, b) は，従来の推意によるメタファー分析が可能で，話し手は divine voice, nightingale に関する記憶された情報に直接アクセスして，関連性の原則にしたがって，弱い推意の演算を行っていると Carston (1998) は言う．

(133)　a.　Maria is *a divine voice*.　（メトニミーの例）
　　　　b.　Maria is *a nightingale*.　（メタファーの例）

問題は，メトニミー理解をこのように，アドホック概念形成による表意分析と推意分析に完全に二分することで，次のような多様なメトニミーの実例を見る限り，難しいように思われる．

(134)　a.　*Butterflies* Are Free.（butterflies は「butterflies というヒット曲を歌った人」の意）
　　　　　　　　　　　　　　　　　　（*Time*, Sept. 15, 1997, p. 113）
　　　　b.　"*Mad cow*" arrives in France.（mad cow は「狂牛病」

(mad cow disease)の意) (*British National Corpus*)
c. Buzz grabbed him by the tail. "We'll have to cross," he said.
　"You're not turning me into mashed potato!" said Mr. Potato Head.
　"I may not be a smart dog," said Slinky.
　"But I know what roadkill is!"
　Buzz surveyed the scene. He spotted *some orange cones*, and rubbed his hands together.
　"I have an idea!"
(Leslie Goldman, *Toy Story 2*, p. 45)
(おもちゃのバズが仲間のおもちゃを引き連れて，交通量の多い道路を横切る場面．orange cones は「道路で工事中を示すオレンジ色の角錐型のもの」の意で，これをいくつか道路に並べて，そこを仲間のおもちゃに通らせて渡ろうとした)

d. Lorraine:　George! (sighing) Good morning, *sleepy head*.
(sleepy head は「ねぼすけ」の意)
(Robert Zemeckis & Bob Gale, *Back to the Future*, p. 73)

〈アドホック概念形成による分析〉

　次に，アドホック概念形成を採用して分析してみよう．(135)の発話の orange が「オレンジジュース」の意となるプロセスを以下で示すと，

(135)　発話：　I drink *orange* for breakfast.
　　　想定：　(a) Orange is a fruit from hot areas.
　　　　　　(b) Orange has a thick skin.
　　　　　　(c) Orange has a special color.
　　　　　　(d) Orange is used to make an orange juice (for breakfast).
　　　推意：　発話＋想定(a) → John drinks < a fruit from hot areas > for breakfast.

　　　　　　発話＋想定 (b) → John drinks < a fruit whose skin is thick > for breakfast.
　　　　　　発話＋想定 (c) → John drinks < a fruit which has a special color > for breakfast.
　　　　　　発話＋想定 (d) → John drinks < *an orange juice* > for breakfast.

　(135) の記号化された概念 orange は，想定 (d) を用いて概念の狭めが行われ，伝達された概念としては orange juice の意になることが，以上で大まかだが示されている．この分析を援用すれば，次の (136) のような状況による sleepy head の解釈の揺れ，head (体の一部)から「ジョージという人間」，「子どもたち」，「通勤客」などへの，意味の拡張の説明も可能になると思われる．

　(136)　a.　Lorraine:　George! (sighing) Good morning, *sleepy head*. (sleepy head は「ジョージ」を指す) (= (134d))
　　　　b.　Many mothers call their half-awake children *sleepy head*. (sleepy head は「子どもたち」を指す)
　　　　c.　Last night there are a lot of *sleepy heads on the train. I was one of them*. (sleepy heads は「通勤客」を指す)

　関連性理論によるメトニミーの説明の可能性について，さらに 2 点述べておく．1 つ目は，メトニミーによる創造性の問題である．たとえば，(137) は (a) から (c) になるにしたがって，次第に創造性を増している．記号化された概念から知識・想定を用いて，VW から「フォルクスワーゲンの車をもっている人」という伝達概念まで演算するのは特殊で，処理労力を要するのに対して，bus から「バスの運転手(バス会社)」と理解することは頻繁に処理され，処理労力もあまりかからない．このように関連性理論では，創造性と処理労力の問題の説明が可能となる．

　(137)　a.　*The buses* are on strike.
　　　　b.　Are *you the cab* parked outside?

(Are you responsible for the way that cab is parked outside?)
c. I want to marry a *BMW* rather than a *VW*.
(Papafragou 1995, 147)

(138) も創造的使用の例で，母親が大きな卵の衣装，父親がフライパンの衣装を身につけた場面を描いている．

(138) 'Look — a couple of years ago my mom and dad got on that big Game Show. Remember, Brand? My mom spent a month makin' those funny costumes. *She was a giant egg. Dad was a frying-pan*.' (James Kahn, *The Goonies*, p. 94)

最後に，日本語のメトニミー理解の問題として，Song (1997, 101–102) は，「自動車を運転する」の意を表すのに「車に乗る」と「ハンドルを握る」の2つのメトニミー表現を取り上げ，この両者を比較すると，前者が後者よりも広い範囲で使用されることを指摘している．このように，使用頻度などの調査も必要となる．

(139) a. このごろ車に乗っていない．
b. このごろハンドルを握っていない．
(140) a. 飲んだら車に乗るな．
b. 飲んだらハンドルを握るな．
(141) a. 車に乗って学校に行った．
b. ?ハンドルを握って学校に行った．

4.4.3 アイロニーの分析

従来の修辞学などでのアイロニーの説明では，文字どおりの意味に対して，アイロニーはその文字どおり言われたことの正反対のことを伝えるとされている．ところが，この考え方には反例がたくさんある (Wilson and Sperber 1992)．

(i) アイロニーを伝える控えめ表現

(142) *You can tell he's upset.* [状況: 客が店の中でかんかんに怒っ

ている場合．*You can't tell he's upset. / *You can tell he's not upset. の意を伝えない］

(ii) アイロニーを伝える引用

(143) *Oh to be in England.　Now that April's there.* ［状況：Browning, "Home Thoughts from Abroad" の引用で，寒くてじめじめした風の強い英国の春のことを言っている．この反対の表現を探すのは難しい］

(iii) アイロニーを伝える間投表現

(144) *Ah, Toscany in May!* ［状況：トスカーナ地方は地上でもっとも美しい所という手紙をもらって，実際に行ったところ，寒くて風は唸り雨もざあざあ降っている場合．この場合も反対の表現を探すのは難しい］

(iv) 肯定的に述べて嘘のことを言うアイロニー

(145) *Look, that car has all its windows intact.* ［状況：ガラスの割れた車を見て，通り過ぎていく場合．この場合も，That car has one of its windows broken. のように反対の表現を探すのは難しい］

関連性理論では，ことばによるアイロニー（verbal irony）の主な特徴として次の点をあげている．

(i) アイロニーは自由間接話法の特別な場合であり，話し手以外の誰かに帰すべき見解に対するメタ表示(＝帰属的メタ表示)で，非明示的に使用される．メタファーよりアイロニーの理解が困難なのは，このさらに上位の層の表示に起因する（Wilson 2000）．
(ii) 話し手は，ある人 (X) の P についての意見は，自分のとは違うということを伝達する．
(iii) ことばによるアイロニーは自然に身につき，普遍的なものである．教えたり学習することなしに，自然と身についている（Wil-

son and Sperber 1992, 57).

これまでに関連性理論で提案されたアイロニー分析を見てみよう.
① エコー的言及説（echoic mention theory）による分析： Sperber and Wilson（1981）により提案された説明で，言語が表現により言語外のものを指す用法（use）と，表現が別の表現を指している言及（mention）を区別し，この言及という用語をアイロニーの説明に用いた.
② エコーによる解釈的用法（echoic interpretive use）として分析： Wilson and Sperber（1992）では，エコー的言及説は制限が強すぎたので，より一般化したエコーによる解釈的用法として，アイロニー分析の修正が行われた．アイロニーをエコー的解釈用法の1つとして分析し，話し手はエコーしている意見をあざ笑ったり冷笑したりして，自分はそうは思っていないことを伝える．なお，アイロニーと嫌み（sarcasm）の区別は，話し手が聞き手にエコーする結果，聞き手が傷つく場合には嫌みになると分析可能である（Sperber and Wilson 1981, 314）.

アイロニーは，話し手の自分以外の発話・考えについての解釈的類似性の用法であることを，次の例で考えてみよう（Wilson and Sperber 1988a, 145）.

(146) Peter:　Ah, the old songs are still the best.
　　　 Mary（contemptuously）:　*Still the best!*

ピーターの 'the old songs are still the best' という考えが，この例では，話し手メアリー以外の人の発話・考えで，メアリーはそのピーターの考えを繰り返している．関連性理論ではこのメアリーの発話を，アイロニーとして次のように分析する．

(147) Mary dissociates herself from Peter's opinion that [$_p$ the old songs are still the best] with ridicule or scorn.

次の例は解釈的類似性が関係するものである（Wilson and Sperber 1988a, 137）.

(148) a. Child (whining): Mummy, you KNOW I don't like cabbage.
　　　b. Mother (whining exaggeratedly): *Mummy, you KNOW I don't like cabbage.*
(149) a. Child (whining): Mummy, you KNOW I don't like cabbage.
　　　b. Mother (whining exaggeratedly): *Mummy, you KNOW cabbage makes me sick.*

(148b) は (149b) と同じくアイロニーと解釈でき，(148b) は子どものもとの発話をそのまま繰り返しただけであるが，(149b) は子どものもとの発話とは異なるが，命題形式の類似性で，ともに，解釈的類似性に関わる用法である．なお，アイロニーは完全な命題を表さない場合(疑問文・感嘆文など)でも成立するので，Grice の言うように，故意に違反して真か偽かを生じると説明することは不可能である．

次はアイロニーを伝達する疑問文の例である．

(150) *Did you remember to water the flowers?* [雨がざあざあ降っているときに]

なお，関連性理論は，エコー的用法のアイロニーは説明するが，正反対を表す従来のアイロニーを説明できないという反論もあるが，Wilson and Sperber (1992, 60) は，たとえば，だました友人に対して "You are a fine friend." と言った場合にも，エコーしている思考があると考える．それは，「人をだましたら，通常は怒り出すか相手をけなす」，「人を褒めることは，だまされたようなときにはしない」といった文化的規範とか思考があり，話し手はそのような規範とか思考にエコーしているのである．すなわち，上記の (146) のように，明示的に先行発話にエコーしている場合と同様に，従来の反対を表すアイロニーも説明できるとしている．

　ケーススタディとして，but とアイロニーについて考えてみよう (Higashimori 1992a, 345–346).

第4章　言語の記述的用法と解釈的用法　163

(151)　The manager (of the department store) approached. 'Do you know this woman, sir?' he enquired officiously. 'Yeah, yeah, I do,' Allen replied without looking round. . . . 'Well, sir, we've been trying to explain to her that it's closing time, but she doesn't seem to understand.' 'That's because she doesn't speak any English.' . . . 'Hallo, Allen. How was your day?' Miss Liberty asked in a low melodious voice with tiniest trace of an accent. . . . 'Excuse me,' said the manager sarcastically, *'I never went to college, but wasn't that English?'*
(Ian Don, *Splash*, p. 58)

斜字体の but の前の発話 "I never went to college" は，次のような想定を用いて演算すると，

想定 (a):　If (I say) I never went to college, (you will expect to infer that) *I'm not capable of recognising when someone may be speaking English.*

前半から出てくる帰結は，「人が英語を話しているのかどうかわからない」となる．but に続く発話 "wasn't that English" は，次のような想定を用いて演算すると，

想定 (b):　If (I say) 'wasn't that English?', *I can recognise when someone's speaking English.*

後半から出てくる帰結は，「人が英語を話していることはわかる」となる．ここでは，この女の人(実はマーメイドであるが)はまったく英語が話せないので，"The woman doesn't speak English" と男友達アレンが言った．それにデパートの支配人がエコーして，but 以下の発話をしている．どういうわけか，テレビを見ていて，話せないはずのマーメイドが突然英語で話し出す場面で，ニューヨークのデパートの支配人が，英語が大学など行かなくても話せるし理解できるのを知っているのに，想定 (a) から "you need to have been to collge in order to recognise when someone is speaking English"という，ばかげた想定を暗に述べているところに，アイロニー解釈の出所がある．

　ここで，アイロニーに関する問題点を8点あげておく．

　1つ目は，ことばによるアイロニーと状況によるアイロニー（situational irony）など，いろいろな種類のアイロニーが同じ原理で説明できるのかという問題である．答えとして，すべてのアイロニーの共通点は，表示と状況の間にずれがあることで説明が可能だと考えられる（Wilson 2000）．

　2つ目は，関連性理論のアイロニー分析の不十分さについての問題である．河上（1993b, 228–229）は，「言語の生成よりもむしろコミュニケーションの解釈の部分に重きを置いているため，たとえば，特定の表現をいかにしてアイロニーとして選ぶかの生成のメカニズムが明示的でないこと」を指摘している．また河上（1998）は，「アイロニーは基本的には相手の実体を見抜いていながら外観をわざと褒めたりすること」で，「外観と認識の間のずれ」として，アイロニーの認識構造図により多くの種類のアイロニーを分析している．

　3つ目は，Higashimori（1992b）で指摘したように，Gibbs and O'Brien（1991, 529）の実験では，非意図的な発話の方がよりアイロニーになる場合の問題があることである．関連性理論では意図明示的伝達を扱うので，非意図的な発話は対象外となる．

　4つ目としては，Yamanashi（1998）の，あてこすり表現（teasing expression）などとアイロニー，皮肉などの区別の必要性も問題である．

　5つ目は，広告とアイロニーの研究も興味あるトピックで，今後研究されるべきである．

　　（152）　a.　「たまに食べるとおいしいよ．毎日食べるとちょっと飽きる」　　　　　　　　　　（ケンミンのヤキビーフンのCM）
　　　　　　b.　「くさるんです」
　　　　　　　　　　（今井食品の不純物いっさいなしの豆腐の広告）

　6つ目として，エコー的ほのめかしの研究も必要である（Wilson 2000）．

（153） Prince Charles:　　Hello, I'm Prince Charles.
　　　　 Telephone operator:　*And I'm the Queen of Sheba.*

電話交換手はエコー的ほのめかしを用いて，つまり，相手が最初に言ったとんでもないことに対し，自分もとんでもないことを付け加えることによって，そのとんでもなさを際立たせようとしている．

　7つ目は，Winner (1988) の，「子どもの言語習得で，アイロニーの方がメタファーより理解が遅くなるのはなぜか」という議論である．メタファーでは類似に基づく概念のルースな計算ができれば，三日月を指して，「お父さん，バナナだよ」と言える．しかし，アイロニーの場合，うるさい子どもをつかまえて「お利口さんだね」と母親が皮肉を言ったときに理解するには，文字どおりの反対を理解するだけでなく，「うるさくしないでいい子にしていたら，お母さんはいい子だねと言う」という一般的な規範に母親がエコーしていること，しかも，本当はお母さんが自分をいい子だとは思っていないのだとわかる必要がある．このように，自分以外の人の頭の中のことと，一般的な規範なども計算に入るので，理解プロセスはメタファーよりは複雑になると説明できる．

　最後に問題として，アイロニーとメトニミーが同時に使用可能かということがある．アイロニーは解釈的用法で，(i) 非明示的であり，かつ，(ii) 自分はそうは思わないという態度であるが，同様にメトニミー表現の一部分も解釈的であるので，以上の (i), (ii) の条件を満たせば，メトニミーはアイロニーにも使用されると関連性理論では予測が可能である．

　次はメトニミーがアイロニーに使用された例である．

（154）　He wanted to marry *a free ticket* to the opera.
　　　　発話：　He wanted to marry a free ticket to the opera.
　　　　想定：　If Peter wants to get married with a person who can get a free ticket to opera, then he does not have to spend his own money.
　　　　推意：　He does not have to spend his own money.（結婚する理由は「お金を払わずにただでオペラを見られるから」と言って，相手を皮肉っている）

(155) *The fastest gun* is walking over there.

4.4.4 笑いの分析：ジョーク

(156) *Two taxis collided and 30 Scotsmen were taken to hospital.*
(コメディアン Woody Allen が用いたジョーク)

(156)の面白さは，推意として，2台のタクシーに30人のスコットランドの人が乗っていたことが，暗に示されるところにある．

以下では，ジョークを4つのタイプに分けて検討してみる．

〈**タイプ1**〉 矛盾した推意により生じるジョーク

次の例は，カエルは「若い独身の女性と会えてうれしい(すなわちカエルは生きている)」と推論し，占い師はその場所を「生物の授業で女子学生がカエルを解剖しているところ(すなわち，カエルは殺される)」と，一方で喜ばせておいて，最後にぐさっと切るというオチになっている．

(157) Fortune-teller, gazing into crystal ball, to Frog:
　　　'You are going to meet a beautiful young woman. From the moment she sets eyes on you she will have an insatiable desire to know all about you. She will be compelled to get close to you — you will fascinate her.'
　　Frog:　'Where am I?　At a singles club?'
　　Fortune-teller:　'Biology Class.'
　　(*Reader's Digest*, Jan. 1984: Jodlowiec (1991, 247) に引用)
　　カエルによる発話:　'Where am I? At a singles club?'
　　想定:　(a) If I (= Frog) am going to meet a beautiful young woman, then I must go to a singles club.
　　　　　(b) If I must go to a singles club, then the young woman and I will fall in love.
　　　　　(c) If the young woman and I fall in love, then at least I must be alive.

推意 I: 　発話＋想定 (a)＋(b)＋(c) → The frog must be alive.

占い師による発話: 　'Biology Class.'
想定: 　(d) If you are in a biology class, then some students dissect frogs.
(e) If some students dissect frogs, then the frogs will die (= not be alive).
推意 II: 　発話＋想定 (d)＋(e) → The frog will die.

要するに，推意 I, II が矛盾しているところから面白さが生じている，と説明可能である．

〈タイプ 2〉　ばかげた想定を用いて生じるジョーク

次例は，医者の言う "Just wait a minute" を「ちょっと待って」の意でなく，「1 分間待って」の意と解釈するところに面白みのあるジョークとなっている．

(158)　A small boy of seven cracked the following rather "sick" joke:
"Doctor, doctor, I've only got fifty-nine seconds to live," cried a patient in despair.
The doctor replied, "Just wait a minute and I'll attend to you."　　(James Kirkup, *Humour Is International*, p. 27)
ばかげた想定:　If the patient can only live for 59 seconds, then the doctor will examine him in 60 seconds.

〈タイプ 3〉　ばかげた推意に基づくジョーク

次例は，ネコを土の中に埋めた理由が，通常は「死んだから」ということを期待するのに，「嫌いだから」埋めたとなり，「生きたまま埋めた」と「とんでもないことだ」という推意が最後に計算されてオチとなっている．

(159)　"Buried the cat last week." "Was it dead?" "No, we just didn't like it very much."　　　　　　　　　　（三原 (1994) 参照）

発話：　*We just didn't like it* (= *the cat*) *very much.*
想定：　If we just didn't like the cat very much, then we buried it alive.
ばかげた推意：　発話＋想定 → We buried the cat alive.

〈タイプ4〉　2つの矛盾する想定に基づくジョーク

　次例は，上院議員が通常は紳士であると考えられているのに，ここでは，紳士でないという矛盾する想定も考えることになり，そのずれが面白くなっている．

(160)　Peter:　Who was that gentleman I saw you with last night?
　　　　Mary:　That was no gentleman. That was a senator.
　　　　　　　　　　　　　　　　　　　　　　　　　（Curco 1995, 28）
　　　　想定：　(a)　Senators are gentlemen.
　　　　　　　　(b)　Senators are not gentlemen.

　以下は，日本語によるジョークの例である．

(161)　「もしもし，お母さんいる？」　息子：「いらない」
　　　　　　　　　　　　　　　　　（『北海道新聞』1996年3月17日）
　　　　（存在するの意の「いる」と，必要ないの意の「いらない」の落差）

(162)　理髪店で中学生が「少し長めにして下さい」と頼むと，ご主人が「耳はどうしますか」と聞き返した．中学生は少し考えていわく「切らないで下さい」（『週刊読売』1996年10月5日）
　　　　（耳のかぶさる髪の毛を切るか尋ねているのに，「耳」そのものを切らないでくれと頼んでいる落差）

(163)　阪急電車の中，3歳位の男の子がおしっこをしたがっている様子．
　　　　子ども：「ママおしっこ」
　　　　ママ：「どうしてもっと早く言わへんの！」
　　　　すると子どもは何を考えたか，早口で「ママッ　おしっこ」．
　　　　　　　　　　　　　　　　　　　　（『エルマガジン』1996年2月号）

（もっと「時間的に早いうちに言う」を，子どもは「早口で言う」と理解した落差）

問題点を 2 点指摘しておく．

1 つ目は，ジョークであると明示的に言われた場合にもジョークが成立するのか，という問題である．アイロニーが暗黙のうちに言われないといけないという条件との関係は，どうなるのか．

(164) では，未来から来た少年が未来の大統領の名前などを言うのに対して，ブラウン博士がこの少年は冗談を言っていると，後で言っている．

(164) Brown: Then tell me, "future boy," (laughing) who's president of the United States in Nineteen eighty-five.
Marty: Ronald Reagan.
Brown: Ronald Reagan? The actor? H'h. Then who's vice president? Jerry Lewis?
Brown: I suppose Jane Wyman is the first lady?...
Marty: No, wait a minute, Doc.
Brown: ...*And Jack Benny is the Secretary of the Treasury.*
Marty: Wait a minute!
Brown: Ah!
Marty: You gotta listen to me.
Brown: I've had enough *practical jokes* for one evening. Good night, "future boy".
(Robert Zemeckis & Bob Gale, *Back to the Future*, pp. 33–34)

2 つ目は，ジョークとからかいの違いをどのように処理するかが問題である．(165) は，人の頭をたたいて，"Hello? Hello? Anybody home?" とからかっている例．(166) は，テレビ誕生当時の人が，未来から来た少年の「テレビは 2 台持ってるよ」という発話をからかいだと明示的に指摘した例である．

(165) Biff: *Hello? Hello? Anybody home?*

   George: (laughing)   (*ibid.*, p. 10)
(166) Lorraine: It's our first television set. Dad just picked it up today. Do you have a television?
   Marty: Well, yeah, you know *we have . . . two of 'em.*
   Milton: Wow, you must be rich.
   Stella: Oh, honey, *he's teasing you.* Nobody has two television sets.   (*ibid.*, p. 31)

4.4.5　笑いの分析：ユーモア

(167)は，the fat apple pie とメトニミーを用いて，いつもパイを食べにくる客をユーモアをまじえて表現している．

(167) 発話： *The fat apple pie* is sitting in his usual chair.
   想定： (a) If the fat man likes an apple pie, then he is always eating an apple pie.
      (b) If the man is always eating an apple pie, he cannot control his appetite.
      (c) If the man cannot control his appetite, the speaker does not like him.
   推意 I: 発話＋想定 (a) → He is always eating an apple pie.
   推意 II: 発話＋想定 (b) → He cannot control his appetite.
   推意 III: 発話＋想定 (c) → The speaker does not like him.
(168) *The fat customer* is sitting in his usual chair.
           (Rouchota 1992b, 145–146)

(167)は the fat apple pie を用いることで，上記 3 つの推意が出てきて，面白みの原因になっている．一方，(168)の the fat customer からは，このような弱い推意がなくて，ユーモアの認知効果も出てこないのである．

4.4.6　笑いの分析：パロディ

 パロディは直接引用であり，アイロニーは間接引用である．両者ともエコー的ほのめかしがあり，自分はそうは思わないという態度をとる．パロ

ディでは，エコーしているのは主に言語形式であり，典型的には，よりルースな言語形式の類似に基づく伝達である (Wilson and Sperber 1992, 62; Carston (1981), 東森 (1998a) も参照).

次例は，統語形式と語彙形式における類似性を利用したパロディである.

(169) *To wed or not to wed, that is the problem.* ("To be or not to be, that is the question." のパロディ)

(170) Child:　Mummy, can I go out to play?
Mother:　With those holes in your trousers?
Child:　No, *with the girl next door.*　　(Chiaro 1992, 40)

(169) は有名なシェイクスピアの表現を，統語形式でまねている．(170) では，with 句の形式は同じだが，子どもはズボンの穴のあいた「状態」から，女の子と「いっしょに」と with で切り返すのが面白い．(171) は日本語のパロディの例である．

(171)　乗るのなら降りるまで待とう信長どの（「鳴かぬなら鳴くまで待とうホトトギス」のパロディ）
(JR 西日本の車内広告：みんなのマナー語録，1996 年 12 月）

4.4.7　笑いの分析：だじゃれ

(172) の *Fall Season* と (173) の *Seeing red* は，新聞の写真の下につけられた見出しである．

(172)　*Fall Season*　— Clockwise from top left, Keyla Ohs, Jullian Sheard, Annie Bazinet and Marie Laurier are shown after they fell during the Ladies Short Program competition at the Canadian Figure Skating Championships on Friday in Calgary, Alberta.　　(*Mainichi Daily News*, Jan. 30, 2000)

(173)　*Seeing red.* — People hurl ripe tomatoes at one another on Wednesday during the Tomatina festival, one of Spain's most popular fiestas.　　(*ibid.*, Aug. 27, 1999)

(172) の fall season から呼び出し可能な意味は，「秋」という季節だが，

フィギュアスケートで転んだ多くの写真から,「転ぶ季節」と再解釈するところに面白みがある.(173)では,写真はスペインのお祭りでトマトを投げ合っているので,赤い色が目に入ってくる.「赤い色(のトマト)を見る」という意味と,イディオム see red の意味「激怒する」(*LDOCE*[3])の両方を同時にかけていて,掛詞となっているところが面白い.

日本語のだじゃれの成立条件として,滝沢 (1996) は,(i) 2 つのことばの発音が似ていること,(ii) 品詞を変えること,(iii) 価値の落差をつけること,をあげている.

(174) a. 甘えん坊将軍(「暴れん坊将軍」をもじってある)
b. 「その絵だれが描いたの?」「え?」(絵とつなぎ語「え」をかけてある)
c. 「あるブスの少女ハイジ」(「アルプスの少女ハイジ」をもじってある)

(175) a. 強いロシアの夢プチン(プーチン大統領が,ロシアの潜水艦事故で乗組員全員死亡となり手腕を発揮できなかったときの批判) (*AERA*, 2000 年 8 月 28 日)
b. 俺たちの年金,ねエ〜ン金(年金を支払う金がないことに対する批判) (*ibid.*, 2000 年 6 月 19 日)
c. 当局は,盗聴ちょっと許可局(早口言葉をもじってある) (*ibid.*, 1999 年 6 月 14 日)

(176) 妻茶髪,息子金髪,俺白髪(違った髪の毛の色で,最初 2 つは最近のはやりで,最後はと期待したが,白髪とそのままで,期待はずれの落差がある)
(東京の地下鉄内の広告:プロミスの楽しい川柳大賞,1999 年 11 月 7 日)

4.4.8 その他のレトリックの分析:ニックネーム

関連性理論では,ニックネームをエコーした概念として分析することが可能である.

(177) Denver is known as the "*Mile High City.*"

第 4 章　言語の記述的用法と解釈的用法　173

(178)　How Did *the Iceman* Goeth?
　　　　　　　　　　　　　　　　　　(*Mainichi Daily News*, June 24, 1997)
　　　　Malcolm Beith and Babak Dehghanpisheh, with bureau reports: Poor old Otzi. That's the nickname scientists gave the 5,300-year-old hunter found in the Italian Alps, who they assumed had died in his sleep (albeit in subzero temperatures). Turns out he was shot in the back with an arrow.
　　　　　　　　　　　　　　　　　　(*Newsweek*, Aug. 6, 2001)

(177) の "Mile High City" と (178) の the iceman が，ともにニックネームとして用いられている．

4.4.9　その他のレトリックの分析：同一表現の繰り返し

　同一表現の繰り返しの目的は，メタ表示された信念の集合をより強く活性化させることで，想定の内容をより顕著に，より拡げることになる．繰り返し表現は，より多くの処理努力で，より多くのコンテクスト効果を達成することを可能にしている．以下では，gone の繰り返しにより，childhood の想定が広い範囲に活性化されて，弱い推意 (a), (b), (c) となって伝達されているのを見てみよう (Pilkington (2000, 124–129) 参照)．

(179)　*My childhood days are gone, gone.*
　　　　想定：　(a) Childhood days are innocent.
　　　　　　　　(b) Childhood days are ingenuous.
　　　　　　　　(c) Childhood days are carefree.
　　　　推意：　(a) The speaker's days of innocence are gone.
　　　　　　　　(b) The speaker's days of ingenuousness are gone.
　　　　　　　　(c) The speaker's carefree days are gone.

4.4.10　その他のレトリックの分析：控えめ表現 (**understatement**)

　(180) と (181) では，somebody, some distance から，このように人が将来 somebody になるとか，2 地点間には何らかの距離があるといった自明なことを述べる場合に，わざわざ伝達するには何らかの意図があると考

えられるため,「わざわざ自明なことを言う場合には,特にその程度が高いとか大きいとか,優れているということである」のような想定があり,発話とこの想定とで,(180) の somebody は「偉大な人」,(181) の some distance は「(聞き手の) 予想以上に遠い」の意の伝達概念になる,と説明が可能である.

(180) Busboy / Goldie: No, sir. I'm gonna make somethin' o' myself. I'm going to night school. And one day, I'm gonna be *somebody*!"
(Robert Zemeckis & Bob Gale, *Back to the Future*, p. 27)
(181) There is *some distance* from here to the post office.

4.4.11 その他のレトリックの分析:トートロジー (**tautology**)

(182) では,概念 boy からアドホック概念形成により,2つ目の boy が語用論的に,たとえば,「乱暴で,部屋の片づけなどもしない」という意に狭くなることによって,母親の質問に対する父親の答えが関連性をもつことになる.同様に,(183) の「たこ焼き」は,通常のたこ焼きの範疇からかなり逸脱した「たこ焼き」の概念をルースにする解釈となる.アドホックに概念が広くなったり,狭くなったりということで,説明可能と思われるが,さらに研究が必要である.

(182) Mother: Did the children ever clean up their rooms?
Father: Well, *boys will be boys*. (Gibbs 1994, 432)
(183) (どう見てもたこ焼きに見えないくらいに,味も形もへたくそにできたものを指して)「たこ焼きはたこ焼きだ.がまんして,食べなさい.」

第5章　より複雑な言語使用の分野への応用

5.1　広告の分析

関連性理論を用いて，広告の見出しから表意をいかに計算するか見てみよう（Ishimaru 1993）．

（1）　*BUY A FIAT UNO AND WE'LL ALSO GIVE YOU A FIRE ENGINE.* [FIAT UNO の写真がこの広告文の下に印刷されている]
(*The Guardian*, Nov. 12, 1992)

視覚情報から指示付与すると，you が読み手で we は自動車会社（the FIAT）であることがまずわかる．表意として，見出しの言語表現は次のように意味が拡充される．

表意：　The reader buys a FIAT UNO and the FIAT will also give the reader a fire engine.

次に，読み手は呼び出し可能な想定の中から，適当なものを選び出す．まず，想定 (d) すなわち FIRE ENGINE の百科事典的項目にアクセスして，一番最初にたどり着く情報は消防自動車である．

想定：　(a) This is an advertisement for a FIAT car.
　　　　(b) 'FIAT UNO' is the name of the newly modeled car.
　　　　(c) 'WE' means the car manufacturer, and 'YOU' means the reader who is a potential buyer.

[175]

(d) 'A FIRE ENGINE' means a special vehicle carrying equipment for fighting large fires.
(e) If a toy fire engine is given a prize, then it is rather a ridiculous award for buying a costly car.
(f) 'FIRE ENGINE' must be a special new engine developed for this car.

ところが，広告にある詳しい説明文の言語情報に "Fully Integrated Robotized Engine" とか "more environmentally friendly" などがあり，そこから読み手は，'FIRE ENGINE' とは，この車のために新しく開発されたエンジンのことであることがわかる．読み手は想定 (d) は間違いと気づき，想定 (f) を選び出す．処理労力をさらに使うことにより，商品の名前がより強く記憶に残るように，意図的に見出しの表現が作られている．最後に，読み手は「表意＋想定 (f)」を用いて，語用論的に fire engine の意味を豊かにして，(2) のような表意を理解する．

(2) The reader buys a FIAT UNO, and the FIAT will also give the reader a special engine developed for this car.

さらに，想定として (g) If the FIAT gives the reader a special engine developed for this car, the reader wants to buy it. を用いて，(2) + (g) の結果，推意として，読み手は「それなら，この車を買おう」となるという説明が可能である．

次の例は，視覚情報のイラストは英国航空の写真で，読み手は最初，航空会社 (British Airways) にたくさん電話がかかるのかなと解釈するように，意図的に作ってある．

(3) "We take 5 million calls a year.
BT's 0345 helps us treat each caller like an individual."
(*The Sunday Times*, Nov. 8, 1992)

ところが，we, BT's 0345 の指示付与の中で，BT は British Airways の省略記号ではないとわかり，新たに想定として，BT とは British Telecom

第 5 章　より複雑な言語使用の分野への応用　177

のことであるとわかる．最初の想定である British Airways の広告だということは削除され，読み手に余分な処理労力をかけているが，そのことで，British Telecom takes 5 million calls a year. British Telecom's 0345 helps the callers treat each caller like an individual. という表意に至り，さらに，「もし British Telecom が，たくさんの人が利用していて，親切な電話会社であれば，私も BT を利用しよう」という想定と表意から計算をして，最終的には「私も BT を利用しよう」の推意となる．

　次に，だじゃれを含んだ広告を見てみよう (Tanaka 1992)．

（4）　*Less bread. No jam.*

これはロンドンの地下鉄 London Transport の広告で，読み手は最初に，bread と jam は 食べ物という意でアクセスする．ところが，状況からわかる下記の想定 (a), (b), (c) とは相容れないので，読み手は解釈のやり直しを迫られ，処理労力が余分に必要となる．

(a)　It is an advertisement.
(b)　It is for London Transport.
(c)　It is found in an underground station or train.

2 回目の解釈で，bread は俗語で 'money' を意味するし（これは概念のルース化による意味変化と考えられる），jam は 'traffic jam' を短く表現しているのだと解釈する．それにより，表意は Less money, no traffic jam. となる．さらに，語用論的に意味の拡充・飽和が行われ，what costs less money, costs whom less money, costs less money than what といった空所の情報を補うことにより（Carston (2000b, 2002) 参照），最終的に表意は次のようになる．

　表意：　If you travel by London Transport it will cost you *less money* than travelling by car, and you will suffer *no traffic jams*, unlike when travelling by car.　　　　　（Tanaka 1992, 93–94）

想定として，「地下鉄が安くて，渋滞もないのなら，私も地下鉄で通勤し

よう」のように利用者が考え，「表意＋想定」により，推意「それなら，私も地下鉄で通勤しよう」が計算され，広告コピー作成者の意図は達成されるのである．もしも，"Take the tube. It is cheaper." とあまり処理労力のいらない広告コピーだと，読み手の注意を引きつけないし，この広告が読み手の頭の中に長く残らないので，問題である．

最後に，マツダ社の車の広告 (5) の見出しについて考えよう．

（5） *The perfect car for a long drive.*

視覚情報として，イラストには道路から大邸宅に通じる長い私道 (drive) にマツダ社の車が止めてある．この広告の読み手は drive を 'a car ride' の意と解釈すると，表意は *The perfect car for a long car ride.* となり，想定 (a) If it is the perfect car for a long car ride, then it functions well for a long drive. となる．そして，「表意＋想定 (a)」で計算をして，推意 I: The perfect car for a long car ride functions well for a long drive. が帰結として計算される．広告の読み手はさらに想定 (b)「その車が長距離に強い車なら，私はそれを買おう」と推意 I とで演算して，推意 II「このマツダ社の車を買おう」が出てくる．

一方，drive を 'driveway' と視覚情報により解釈すると，表意は *The perfect car for a long driveway.* となり，想定: If you buy the perfect car for a long driveway, you can enjoy a comfortable life. と表意で演算して，推意は「(このマツダ社の車を買うと)快適な生活ができますよ」となる．

この広告のだじゃれは，「長距離運転に強い車」の解釈と「道路から自宅の大邸宅にいたるまでの距離が長い人に快適な車」の両方の解釈が，関連性の原則に矛盾せず，無理な処理労力を要しないで両者を思いつくように，広告コピーライターに仕組まれている．どちらか一方の解釈でなく，両方がいっしょになってコンテクスト効果をねらっていると考えられる例である (Tanaka 1992, 101)．

問題点を 1 つあげると，言語情報よりも視覚情報が中心の広告も多く，極端な場合はイラストのみで，広告の見出しなど言語情報がゼロのこともある．関連性理論ではそのような場合も，上記例と同じように説明が可能

である．

（6） これはあれなんですね？（第8回ラクロス選手権大会の広告）

イラストには，2人がラクロスのラケットをもって試合をしている写真があるので，この広告は「この写真のスポーツはラクロスなんですね？」のように拡充・飽和される．最終的に「このラクロスの試合を見に来てください」の意に解釈してくれれば，広告の目的は達成される．

なお，最近では，従来の商業広告，公的広告，航空会社などのサービス広告の媒体として，紙に印刷したものからインターネット上でのオンライン広告までも存在し，新たな伝達手段による広告の分析が可能である．

5.2 翻訳の分析

関連性理論による翻訳に対する基本的考え方をまとめると，次のようになる（Gutt 2000, 199–237）．

(i) 翻訳とは，まず第一に伝達行為の一種であり，（異なる言語間あるいは同一言語の2つの変種間での）言語境界を越えた解釈的用法の適用である．
(ii) 翻訳の現象は，意図明示的伝達という一般原理で説明可能で，翻訳のためだけに特別な理論を立てる必要がない．
(iii) 関連性理論による翻訳の研究は理論的説明をめざしているため，翻訳現象がどのように行われているかという説明に力点がある．
(iv) 関連性理論は先行研究とは異なり，翻訳とはただ1種類あるだけという特徴づけをする．
(v) 翻訳とは，言語間の間接話法とか，直接または間接引用として，原文作家が述べたり書いたりしたことを，訳文の読み手に伝えることにより，関連性を達成することである．
(vi) 翻訳されたテキストは，別の言語で表現した原文作者がもっている思考の解釈を，翻訳者がさらに自分の思考に基づき解釈したものである．
(vii) 直訳は解釈的用法の特殊な場合で，原文と訳文が理論上，100%

の解釈的類似性をもつ場合と考える．
（viii）関連性理論の翻訳の定義によれば，翻訳者は自分自身の解釈的意図を伝達するが，明示的に伝達することは必ずしも必要なく，状況に応じて，単に推意によって伝達することも可能である．
（ix）関連性理論の翻訳には，逐語訳，隔行に別の言語で翻訳したもの，意訳も射程の中に入っている（法律文章の翻訳については，Hjort-Pedersen (1996) を参照）．
（x）翻訳の定義は，伝達ということに十分動機づけをもつもので，間接・直接引用は，異なる言語間の伝達の現象としてはごく普通である．それゆえ，人間が異なる言語間でも類似した伝達を用いているので，理解可能である．
（xi）初期の翻訳理論が行き詰まったのは，コードモデルに基づいていたからであり，それに対して認知と伝達に基づく関連性理論の方が説明力がある．
（xii）関連性理論内には複雑性があるが，翻訳の概念そのものは簡単なものである．

具体例として，いわゆる逐語訳の場合は，統語形式・語彙形式の類似性に基づき説明できる．(7a) は，日本語の「自立」から英語 independence への語レベルの翻訳，(7b) は，英語の the nail that sticks up is hammered down の，日本語のことわざ「出るくぎは打たれる」（本来は「出るくい（杭）は打たれる」）への翻訳，(7c) は，「ピカチュウ」の英語 lightning mouse への翻訳，(7d) は，日本語「プリクラ」の英語 print clubs への翻訳，(7e) は，日本語のテレビ番組のタイトル「ひとりでできるもん」の英語への翻訳である．

(7) a. Broderick: They're vaguely looking for something, which they call *jiritsu, or independence*.
(Catherine Broderick『インタビューフラッシュ：日本編 1』, p. 102)
b. Krisher: No, partly because of *the nail that sticks up is hammered down* — "*deru kugi* [sic] *wa utareru*" —

　　　 which doesn't give the Japanese much opportunity to
　　　 actually become stars.　　　　　　　　(*ibid*., p. 38)
　c.　"Pikachu is a '*lightning mouse*,'" said the professor.
　　　　　　　　　　　　　　　(Tracey West, *Pokemon*, p. 11)
　d.　*Purikura*, *or Print Clubs*, are as requisite for Japanese teen-
　　　 agers as loose socks and Tamagotchi.
　　　　　　　　　　　　　　　(*Mangajin*, No. 70, 1997, p. 12)
　e.　NHK's *Hitori de Dekiru Mon* ("*I Can Do It Myself*") teach-
　　　 es cooking and nutrition to children like little Mai-chan,
　　　 above.　　　　　　　　　　　　　　(*ibid*., p. 32)

　次に，意訳と言われるものは，命題形式の類似性で説明できる．(8a) の「プリクラ」は photo stickers，(8b)「古池や...」の Breaking the silence of an ancient pond. という翻訳は，命題形式の類似性で説明が可能である（Gutt 1991, 132; Gutt 1996, 248）．

(8)　a.　Join the (*Print*) *Club*
　　　　 Young people are lining up all over Japan for the latest teen
　　　　 craze — photo stickers.　　　　　(*ibid*., 1997, p. 2)
　　 b.　古池や蛙飛び込む水の音（芭蕉）
　　　　 Breaking the silence of an ancient pond.
　　　　　　　　　　　　　　　　　　　(Yuasa 1987, 234)

　問題点を4点指摘すると，まず第一に，日英語で明示すべき部分が，メトニミーとメタファーの使用で異なる場合の説明が問題である．(9a) では，日本語でガラスとあるが，英訳ではメトニミー的に the windows としか述べていない．(9b) での学者の卵は，日本語ではメタファーを使うが，英語では junior scholar となっている．

(9)　a.　日差しカット効果58%のガラスを使用しています．
　　　　 The windows cut 58% of sunlight.
　　　　　　　　　(JR 西日本の窓ガラスに貼ってある説明)
　　 b.　"学者の卵" の生活はつらい．

Life is Hard for Junior Scholars.
(*The Hiragana Times*, No. 113, 1996, p. 26)

第二の問題は，異なる2言語間の，同時通訳の翻訳と通常の翻訳との違いの説明が必要なことである（Setton 1999）．（10）は，ドイツ語から英語への同時通訳の例である（Setton 1999, 300）．ドイツ語の原文では1文のところを，英訳では ～ given us this. といったん切って，2文にして同時通訳している．これは，処理労力によって処理する時間があまりない同時通訳の翻訳の1つの特徴で，関連性理論による処理労力と命題内容の類似性という観点から，説明可能である．

(10) *Vielen Dank Herr Doktor Rump für diesen aktuellen*
  'Many thanks Mr   Doctor Rump for this   topical
  Überblick zu dem Spezialthema des Subventions betruges.
  overview to the special theme of subsidy   fraud.'

  英訳： THANK *you very much indeed-Doctor Rump for having given us this. Up-to-date overview of the specific topic of subsidy fraud.*

3つ目の問題は，漫画の翻訳では視覚情報が文字情報より重要で（Watts 1989），関連性理論では広告同様に，この分野でも十分に説明ができる．

(11) 学歴!!
  school background
  Academic background?!
  えーと，   たしか， 柴又   の小学校
  (pause)(quote) I believe (place name) of grade school
  を卒業しまして...
  (obj.) graduate and
  Uhh, if I'm not mistaken, he graduated from the grade school in Shibamata, and . . .
  (*Mangajin*, No. 52, 1996, "*Otoko wa tsurai yo*（It's Tough Being a Man），" p. 29)

4つ目の問題は，次のように同一言語間での翻訳(たとえば大阪弁の若者と標準語との翻訳．http://www.osaka-gaidai.ac.jp/~koyano/josidai1.htm)も，説明すべきデータである．

(12) 〈女子大生の会話〉
S: こないだも，コンパしたらしいねんけど，それがめっちゃ笑えんねん．
T: 何なんよ．
S: 相手が KG やって聞いてたからめっちゃ気合はいっててんて．
T: おー！　戦いモードやったわけやなー．
S: そうそう．ほんで気合はいってたからギャル系極めてバリバリにしててんてー．
〈現代日本語訳〉
S: この前もコンパをしたらしいけど，それがおもしろいの．
T: 何？
S: 相手が関西学院大学の人って聞いていたから，気合いを入れてたんだって．
T: 頑張ってたんだ．
S: そう，気合いを入れてて，すごい女の子らしい格好にして，完璧にしてたんだって．

最後に，最新のテレビにおける文字テロップの問題も，同じ言語による情報の〈翻訳〉という観点から分析が可能である．（塩田（2001）を参照のこと．）

5.3　丁寧さなど社会的要因の分析

関連性理論は認知的であり，社会的言語現象が扱えないのではないかという反論が多いが (Sperber and Wilson 1997b)，丁寧さ (politeness (Jary 1998))，原稿を書き直す権利 (rewriting right (Christie 1998))，調停 (accommodation (Coupland and Jaworski 1997))，立論 (argumentation (Reboul 1993))，会話の途中で割って入ること (verbal interruptions (Watts

1989)),平和と紛争に用いられる言語 (language of peace and conflict (Wilson and Rose 1997)) など,さまざまな社会現象に関連性理論がすでに応用されていることから,このような偏見は間違いであると思われる.以下では,社会的な問題の中からいくつかを取り上げてみよう.

5.3.1　社会的想定について

関連性理論は認知的であるが,発話解釈の際に聞き手が用いる想定には社会的想定 (social assumptions) も含まれており,認知的とは社会的なものをその中に包括するので,射程がより広いことに注意が必要である.たとえば,

(13)　A:　Mrs X is an old bag.
　　　B:　*The weather has been quite delightful this summer, hasn't it?*

B がまったく関連性のない発話をした場合は,社会的想定として次のようなものが考えられる (Wilson and Sperber 1986, 260).

If B is deliberately ignoring A's remark, he believes it should not be discussed.

すなわち,X 夫人の悪口を言った A に対して,B がまったく関係のない天気のことをもち出したのは,この B がわざと A の発言を無視したということで,上記の社会的想定と発話からの推意として,「そんなことは口に出さない方がいいよ」となると説明可能である.

5.3.2　What are you looking at? を侮辱として解釈する場合

(14)　Biff:　Oh. Don't be so gullible, McFly. Got the place fixed up nice, though, McFly.
　　　. . . Hey, I had your car towed all the way to your house and all you got for me Lite Beer? (laughing)
　　　Biff:　*What are you lookin' at* . . . butthead? Say hi to your Mom

　　　　for me.
　　　（Robert Zemeckis & Bob Gale, *Back to the Future*, p. 11）
　　発話： （14）*What are you lookin' at?*
　　表意： "You" is looking at "what."
　　<u>友好的な解釈 の場合</u>：
　　想定： There are a number of things that the hearer is looking at.
　　関連性との関係： The speaker does not know what the relevant completion is.
　　<u>友好的でない解釈の場合</u>：
　　想定： The hearer is looking at the speaker.
　　関連性との関係： The speaker knows exactly what the relevant completion is.

(14) が侮辱的 (impolite) な解釈の場合，発話は，何を見ているかと相手に答えを求める形式だが，ここでは想定として，聞き手が話し手を見ていることを前もって知っている場面である．この聞き手が何が答えか知っていることが侮辱的解釈に至る，という説明が関連性理論では可能である．

5.3.3　交感関係の伝達と関連性

　天気の話題や挨拶など，人間関係をより潤滑にする目的の交感関係の伝達 (phatic communication) の特徴としては，(i) 言語的方法と非言語的方法の両方で，交感関係の伝達が可能である，(ii) 発話の言語的情報は比較的強い情報で，意図を示す伝達は比較的弱い伝達である，(iii) 交感関係の伝達では，言語による情報は関連性が低く，むしろ，認知効果の大部分が関わる主要な関連性は，意図を明示することにある，という点があげられる (Žegarac 1998)．

　たとえば，メアリーにもピーターにも郵便局でストがあることは明白で，お互いにしばらく喧嘩していて，突然ピーターが (15) を発話したとする．

　（15）　*There's a postal strike today.*

発話内容の命題 P は,「発話をしているその日に郵便局がスト中」である.高次の表意が明示されると, Peter is saying to Mary that P となる. ここでは, 言語化された情報はすでに明白なことで, 主たる関連性は弱く伝達された Peter is saying to Mary という発話行為の部分で, 喧嘩の後での仲直りのきっかけなのである.

次の例では, 休日の過ごし方に関する伝達で, 実際のやりとりの命題内容はどちらでもよく, 意図を明示している部分がむしろ重要である.

(16) A: *How long was your holiday?*
B: Two weeks.
C: Yeah, / two weeks.
A: / Mhm.
And that's you back to work on Monday, is it?
B: No.
A: No.
B: We're gonna spend another week in the south actually.
A: Oh that's good.
B: Yeah.

丁寧さと交感関係の伝達との共通点は, (i) 発話の命題内容は関連性がなくて, 主たる関連性は意図明示にあること, (ii) 命題内容は, 意図明示行為が関連をもつように, コンテクスト(想定)を提供することである. 両者の相違点は, 交感関係は, 話し手と聞き手のやりとりで肯定的な伝達をするのに対して, "What are you lookin' at?" のような伝達は, さらに伝達を続けられなくするような否定的態度を伝達することである.

5.3.4　ケーススタディ: **but** と丁寧さの分析

(17) I don't want to interrupt your thought, *but* do you think we might do a little talking?　　(Charles Webb, *Graduate*, p. 78)
前半の発話:　I don't want to interrupt your thought.
想定:　(a) If I don't want to interrupt your thoughts, I should

	not say anything to you.
推意 I:	I should not say anything to you.
後半の発話:	Do you think we might do a little talking?
想定:	(b) If (I ask if) 'you think we might do a little talking,' (it implies that) I should say something to you.
推意 II:	I should say something to you.

(17)は，but により推意 II を認めて，推意 I を後ろ向きに削除している場合で，想定 (a) は社会的に慣習化された知識である．丁寧さは，最初から直接，推意 II を強く言うと自分のことを主張しすぎるので，あえて推意 I をもち出して，それを打ち消すことで，処理労力は必要だが婉曲的になり，それだけ主張を柔らかくするためと説明できる．

　問題は，Steve Nicolle がインターネット上の Relevance グループによる議論で示したように，丁寧な形式(たとえば，Could I have a coke please.)が，より単純な言い方(たとえば Give me a coke.)より多くの処理労力が必要だとは，一概に言えないということである．外国語として英語を学習するときは，よく出てくる Can you ...? / Would you ...? の方が処理しやすく，命令文 Turn to page ten. などの方がむしろ特殊で，より処理労力の必要な場合もある．言語形式のみで丁寧さを議論するのは，問題である．（したがって Brown and Levinson (1987)，Leech (1983) などによる言語形式を中心にした丁寧さの分析には，問題が残る．)

5.4　言語障害の分析

　Leionen and Kerbel (1999) に基づき，関連性理論による，子どもの語用論的理解とその障害についての説明を見ておこう．言語治療の面でも，今後の応用が期待できると思われる．

　(i)　一義化に障害がある場合:

(18)　Mother:　Careful with that. It's very *hot*.
　　　Child drops the bottle and blows onto his hand.

(18)では，母親は，そのチリソースがからいの意で hot を用いたが，子

供は hot to touch（熱い）と解釈したのであって，一義化するプロセスに問題があると説明できる．

(19) A: *What time of day do you think this might be when they are eating?*
S: *Mmm — it's summer.*

(19) の A の質問では time of day と聞いているが，子ども (S) は語用論的障害があり，time という語にのみ焦点を当てて，'the time of day', 'the time of year' と曖昧さを解消する．そして，子どもが午前 8 時に朝御飯を食べて，学校へ行く絵を見せられ，視覚情報をコンテクストとして与えられると，正常児は time を 'the time of day' と解釈するのに，S は time として季節 'the time of year' を選んだ．それゆえ，一義化に障害があることがわかる．

(ii) 語用論的拡充に障害がある場合：

(20) A: Why are people sitting on the roofs of their cars?
S: Um-er- (laughs) — er — because, because *they might slip down because they might slip into the water they might slip.*

洪水で，家財道具，牛，木，木につかまった人が流され，濁流に呑み込まれるなか，車の屋根にのぼっている人の写真を見せて，A は質問している．質問者の疑問文を，正常児は通例，次のように拡充する．

Why are the people in the picture sitting on the roofs of their cars rather than sitting in their cars, or walking in the street?

ところが，語用論的障害のある S は，違った拡充をしている．

Why are the people in the picture sitting on their cars rather than standing on their cars?

車の屋根の上に立たずに座っているのはなぜかと聞いているとすると，「滑り落ちるから」という S の答えは合致するが，正常児のように「濡れたり，おぼれるから」(So they won't get wet or drown.) とか，「怖いか

第 5 章　より複雑な言語使用の分野への応用　189

ら」(They are frightened.)とかの答えが出てこないのは，このように疑問文を理解する拡充に問題がある，と分析可能である．
　(iii)　推意に障害がある場合：

(21)　S:　You know after Christmas I am going on holidays.
　　　A:　Mmm.
　　　S:　An' I won't be at school.
　　　A:　Where are you going then?
　　　S:　I don't know. I might go to the same holiday. I'm not going to a different one.
　　　A:　The same as what?
　　　S:　The same holiday. Umm we like going on the beach.
　　　A:　Umm. *It'll be a bit cold in January, after Christmas, won't it?*
　　　S:　Yeah, *a bit cold.* (*slight laughter*)
　　　A:　Do you think that you still go on a beach holiday? Or is it ― do you have to go on an aeroplane?
　　　S:　Umm . . . [No, going on a train]
　　　A:　[Going to fly?] Alright. So you're not coming back after Christmas to school?
　　　発話：　It'll be a bit cold in January after Christmas, won't it?
　　　想定：　(a) Sarah is going on a beach holiday after Christmas.
　　　　　　 (b) It is cold in Britain in the period following Christmas.
　　　　　　 (c) One does not go on beach holidays when it is cold.
　　　推意：　You cannot be going on a beach holiday in Britain in January because it is too cold.

(21)で，障害児の S はこのような推意が計算できずに，A の言った 'a bit cold' をただ繰り返しているだけである．
　要するに，子どもが語用論的意味の理解に問題がある理由とは，次のようにまとめられる：(i) 世界に関する知識がないとか，不足しているから，

(ii) 関連した情報にアクセスしにくいか，関連した想定を立てにくいから，(iii) 推論(演繹)するのが苦手であるから，(iv) コンテクスト的に何が顕在化しているかを決定しにくいから，(v) ほかの人が知っていること，処理できることの判断がしにくく，かつ，ほかの人に何が最適な関連性であるかを知ることが困難であるから．（大人言語の失語症と関連性については，Christiansen (1999) を参照のこと．）

5.5　お わ り に

関連性理論のその他の分野への応用について，少しふれておこう．

(i)　認知心理学の分野では，Sperber, Cara and Girotto (1995) で見るように，関連性という概念が選択課題などの実験に役立っている．

(ii)　英語教育の分野でも，表意と推意の区別が英文和訳などで有効である．授業で英文を日本語に訳すときに，どこまで自然な日本語で訳せるかという問題への応用が可能である (Nicolle and Clark 1999)．また Wolf (1999, 98) は，発話，表意，推意の3つのレベルが英語教育上重要であるとして，次のような例をあげている．

(22)　a.　*Go on, hit me.* (発話)
　　　b.　Don't you dare hit me again, Judith, the way you normally do. (表意)
　　　c.　The speaker does not like being hit. (推意)

また，文法の問題についても解釈的用法などは有効で，現在形が解釈的に使用された新聞の見出し，劇のト書きなどの多様な用法を説明できる．（詳しくは Smith (1990) を参照．）

(iii)　辞書学の分野でも，表意と命題内容の解釈的類似性，推意などの応用が考えられる．(23) の英語では probably しか表現されていないが，日本語では明示的な表意として，「天気でしょう」まで訳している．また，(24) では Mad is the word. は命題内容の類似性で，「そのとおりだ」という訳になっている．(25) では someone very special, very dear to me を意訳して，「意中の人」となっている．(26) の can't complain は「もし

も人が文句は言えないなら，それはまあまあだ」という想定とで演算して，推意として「まあまあだ」と日本語訳がついている．

(23) "Will it be fine on sports day?" "*Probably.*"
「運動会の日は天気でしょうか．」「たぶん天気でしょう．」
(『アクティブジーニアス英和辞典』, p. 1153)
(24) He is mad. *Mad is the word.*
「彼はかんかんだ．」「そのとおりだ．」 (*ibid.*, p. 1685)
(25) "Who's the present for?" "*Someone very special, very dear to me.*"
「このプレゼントだれにあげるの．」「うん，そりゃあの意中の人さ．」 (*ibid.*, p. 1390)
(26) "How are you?" "*Can't complain.*"
「やあ，どうだい．」「まあまあってとこだ．」 (*ibid.*, p. 304)

インターネットの発達による伝達と関連性理論を扱って，サイバー語用論(cyberpragmatics)という名のもとで，丁寧さとエチケットなどについて新たな分析が現在進められている(Yus Ramos (2000) を参照のこと)．また，談話における研究と関連性についても，全体的首尾一貫性(global coherence)とジャンルに関する関連性理論についてのUnger (2001) の研究や，Matsui (2000) による橋渡し推意 (bridging implicature) の研究なども重要なものである．東森 (2000) で扱ったように，文法化 (grammaticalization) など通時的研究にも適用可能だし，文学作品のテキストの正しい解釈の問題などにも，新たな可能性を提出できるかもしれない．

なお，関連性理論に対する批判については，認知言語学からの反論は山梨 (2000a, b, c) を，詩的効果や文学的解釈に関する批判についてはGreen (2000) を参照されたい．

関連性理論の重要な情報をインターネットで入手するためのサイトを，以下で紹介しておく．

Internet Resources

Relevance Research Group（関連性理論のメーリングリストで，ホットな議論を知るサイト）
　http://www.phon.ucl.ac.uk/home/robyn/relevance/home.htm
Instructions for Using Relevance E-mail Discussion Group（関連性理論のディスカッション・グループへの参加の仕方を書いてあるサイト）
　http://www.phon.ucl.ac.uk/home/robyn/relevance/list_instruct.htm
Open Directory: Pragmatics（語用論全般のサイト）
　http://dmoz.org/Science/Social_Sciences/Linguistics/Pragmatics/
Dan Sperber's Home Page（Sperberの個人のサイトで，彼の論文とWilsonとの共著論文など入手可能）
　http://www.dan.sperber.com
Andreas H. Jucker's Home Page（歴史語用論に詳しいJuckerの個人サイト）
　http://www.es.unizh.ch:16080/ahjucker/
Ernst-August Gutt's Home Page（翻訳に詳しいGuttの個人サイト）
　http://www.wiz.to/eagutt/
Browse by Subject: Pragmatics（語用論のサイト）
　http://cogprints.org/view/subjects/ling-prag.html
Chomsky on Pragmatics（語用論についてのChomskyの論文を入手できるサイト）
　http://www.phon.ucl.ac.uk/home/robyn/relevance/relevance_archives/0026.html
RT_Cognitprag（Relevance Theory & Cognitive Pragmatics）（中国で作成されている関連性理論と認知語用論のサイト）
　http://www.phon.ucl.ac.uk/home/robyn/relevance/relevance_archives/0032.html
Relevance Theory Online Bibliographic Service（関連性理論のトピック別参考文献で，最新のものまで載っているサイト）
　http://www.ua.es/personal/francisco.yus/rt.html

New Online Articles（最新の関連性理論の論文をオンラインで入手可能なサイト）

　http://www.phon.ucl.ac.uk/home/robyn/relevance/relevance_archives/0074.html

UCL Working Papers in Linguistics: the internet edition（英国ロンドン大学で毎年出版されている関連性理論の最新の論文を，インターネットで入手できるサイト）

　http://www.phon.ucl.ac.uk/home/PUB/WPL/uclwpl.html

The Metaphor and Metonymy Group（メタファーとメトニミーのサイト）

　http://www.le.ac.uk/psychology/metaphor/

参 考 文 献

Abbott, Valerie and John B. Black (1986) "Goal-Related Inferences in Comprehension," *Knowledge Structures*, ed. by James Galambos, Robert Abelson, and John Black, 123–142, Lawrence Erlbaum, Hillsdale, NJ.
Andersen, Gisle (1998) "The Pragmatic Marker *Like* from a Relevance-Theoretic Perspective," *Discourse Markers: Descriptions and Theory*, ed. by Andreas H. Jucker and Yael Ziv, 147–170, John Benjamins, Amsterdam.
荒木一雄・安井稔編 (1992)『現代英文法辞典』三省堂, 東京.
Attardo, Salvatore (2000) "Irony as Relevant Inappropriateness," *Journal of Pragmatics* 32, 793–826.
Barsalow, Lawrence W. (1987) "Instability of Graded Structure: Implications for the Nature of Concepts," *Concepts and Conceptual Development: Ecological and Intellectual Factors in Categorization*, ed. by Ulric Neisser, 101–140, Cambridge University Press, Cambridge.
Benveniste, Emile (1966) *Problèmes de linguistique générale*, Gallimard, Paris.
Biber, Douglas, Stig Johansson, Geoffrey Leech, Susan Conrad, and Edward Finegan (1999) *Longman Grammar of Spoken and Written English*, Longman, London.
Blakemore, Diane (1987) *Semantic Constraints on Relevance*, Blackwell, Oxford.
Blakemore, Diane (1988a) "The Organization of Discourse," *Linguistics: The Cambridge Survey*, Vol. 4, ed. by Frederick J. Newmeyer, 229–250, Cambridge University Press, Cambridge.
Blakemore, Diane (1988b) "*So* as a Constraint on Relevance," *Mental Representation: The Interface between Language and Reality*, ed. by

Ruth Kempson, 183–195, Cambridge University Press, Cambridge.
Blakemore, Diane (1992) *Understanding Utterances: An Introduction to Pragmatics*, Blackwell, Oxford.
Blakemore, Diane (1993) "The Relevance of Reformulations," *Language and Literature* 2, 101–120.
Blakemore, Diane (1994) "Echo Questions: A Pragmatic Account," *Lingua* 94, 197–211.
Blakemore, Diane (1995) "Relevance Theory," *Handbook of Pragmatics*, ed. by Jef Verschueren, Jan-Ola Östaman, Jan Blommaert, and Chris Bulcaen, 443–452, John Benjamins, Amsterdam.
Blakemore, Diane (1996) "Are Apposition Markers Discourse Markers?" *Journal of Linguistics* 32, 325–347.
Blakemore, Diane (1997) "Restatement and Exemplification: A Relevance-Theoretic Reassessment of Elaboration," *Pragmatics and Cognition* 5, 1–19.
Blakemore, Diane (2000) "Indicators and Procedures: *Nevertheless* and *But*," *Journal of Linguistics* 36: 3, 463–486.
Blakemore, Diane and Robyn Carston (1999) "The Pragmatics of *and*-Conjunctions: The Non-narrative Cases," *UCL Working Papers in Linguistics* 11, 1–20, University College London.
Blass, Regina (1989) "Pragmatic Effects of Co-ordination: The Case of 'and' in Sissala," *UCL Working Papers in Linguistics* 1, 32–51, University College London.
Blass, Regina (1990) *Relevance Relations in Discourse: A Study with Special Reference to Sissala*, Cambridge University Press, Cambridge.
Blyth, Reginald H. (1964) *A History of Haiku*, Vol. 2, Hokuseido, Tokyo.
Brown, Penelope and Stephen C. Levinson (1987) *Politeness: Some Universals in Language Use*, Cambridge University Press, Cambridge.
Burton-Roberts, Noel (1989) "On Horn's Dilemma: Presupposition and Negation," *Journal of Linguistics* 25, 95–125.
Campbell, John L. (1992) "An Applied Relevance Theory of the Making and Understanding of Rhetorical Arguments," *Language & Communication* 12, 145–155.
Carston, Robyn (1981) "Irony and Parody and the Use-Mention Distinc-

tion," *Nottingham Linguistic Circular* 10, 24–35.
Carston, Robyn (1988) "Implicature, Explicature and Truth-Theoretical Semantics," *Mental Representations: The Interface between Language and Reality*, ed. by Ruth Kempson, 155–181, Cambridge University Press, Cambridge.
Carston, Robyn (1995) "Quantity Maxims and Generalized Implicature," *Lingua* 96, 213–244.
Carston, Robyn (1996a) "Metalinguistic Negation and Echoic Use," *Journal of Pragmatics* 25, 309–330.
Carston, Robyn (1996b) "Enrichment and Loosening: Complementary Processes in Deriving the Proposition Expressed," *UCL Working Papers in Linguistics* 8, 61–88, University College London.
Carston, Robyn (1998) *Pragmatics and the Explicit-Implicit Distinction*, Doctoral dissertation, University College London.
Carston, Robyn (2000a) "The Relationship between Generative Grammar and (Relevance-Theoretic) Pragmatics," *Language & Communication* 20, 87–103
Carston, Robyn (2000b) "Explicature and Semantics," *UCL Working Papers in Linguistics* 12, 1–44, University College London.
Carston, Robyn (2001) "Relevance Theory and the Saying / Implicating Distinction," *UCL Working Papers in Linguistics* 13, 1–34, University College London.
Carston, Robyn (2002) *Thoughts and Utterances: The Pragmatics of Verbal Communication*, Blackwell, Oxford.
Carston, Robyn and E.-J. Noh (1995) "A Truth-Functional Account of Metalinguistic Negation with Evidence from Korean," *UCL Working Papers in Linguistics* 7, 1–26, University College London.
Carston, Robyn and Seiji Uchida, eds. (1998) *Relevance Theory: Applications and Implications*, John Benjamins, Amsterdam.
Chiaro, Delia (1992) *The Language of Jokes: Analysing Verbal Play*, Routledge, London.
Chomsky, Noam (1975) *Reflections on Language,* Random House, New York.
Chomsky, Noam (1980) *Rules and Representations*, Columbia University

Press, New York.

Christiansen, Julie Ann (1999) "Relevance in the Language Production of Aphasic Patients," First International Congress on Neuropsychology in Internet Uniting Horizons in Neuropsychology (http://www.uninet.edu/union99/congress/confs/lang/05Christi.html).

Christie, Christine (1998) "Rewriting Rights: A Relevance Theoretical Analysis of Press Constructions of Sexual Harassment and the Response of Readers," *Language and Literature* 7, 215–234.

Clark, Billy (1994) "'What Are You Look AT?': The Interpretation of Insults," paper presented at the Autumn Meeting of the LAGB held at Middlesex University, 13–15, September 1994.

Clark, Herbert and Richard Gerrig (1990) "Quotations and Demonstrations," *Language* 66, 764–805.

Coupland, Nikolas and Adam Jaworski (1997) "Relevance, Accommodation and Conversation: Modeling the Social Dimension of Communication," *Multilingua* 16, 233–258.

Curco, Carmen (1995) "Some Observations on the Pragmatics of Humorous Interpretations: A Relevance Theoretic Approach," *UCL Working Papers in Linguistics* 7, 27–47, University College London.

Curco, Carmen (2000) "Irony: Negation, Echo and Metarepresentation," *Lingua* 110, 257–280.

Elena Vega-Moreno, Rosa (2001) "Representing and Processing Idioms," *UCL Working Papers in Linguistics* 13, 73–108, University College London.

Escandell-Vidal, Victoria (1998) "Metarepropositions as Metarepresentations," paper delivered to the Relevance Theory Workshop, Luton, September 1998.

Flieger, John (1996) "Metaphor and Categorization," seminar paper, School of Oriental and Asian Studies, University of London.

Fodor, Jerry A. (1983) *The Modularity of Mind: An Essay on Faculty Psychology*, MIT Press, Cambridge, MA.

Franken, Nathalie (1997) "Vagueness and Approximation in Relevance Theory," *Journal of Pragmatics* 28, 135–151.

Gazdar, Gerald (1979) *Pragmatics: Implicature, Presupposition, and Log-*

ical Form, Academic Press, New York.
Gerrig, Richard (1989) "Empirical Constraints on Computational Theories of Metaphor: Comments on Indurkhya," *Cognitive Science* 13, 235–241.
Gibbs, Raymond W. (1984) "Literal Meaning and Psychological Theory," *Cognitive Science* 8, 275–304.
Gibbs, Raymond W. (1994) *The Poetics of Mind: Figurative Thought, Language and Understanding*, Cambridge University Press, Cambridge.
Gibbs, Raymond W. and Jennifer O'Brien (1991) "Psychological Aspects of Irony Understanding," *Journal of Pragmatics* 16, 523–530.
Green, Keith (2000) "Creative Writing, Language and Evaluation," Sheffield Hallam Working Papers on the Web 2.
Grice, Herbert Paul (1967) "Logic and Conversation," William James Lecture, Harvard University.
Grice, Herbert Paul (1975) "Logic and Conversation," *Syntax and Semantics* 3: *Speech Acts*, ed. by Peter Cole and Jerry Morgan, 41–58, Academic Press, New York.
Grice, Herbert Paul (1989) *Studies in the Way of Words*, Harvard University Press, Cambridge, MA.
Gutt, Ernst-August (1991) *Translation and Relevance: Cognition and Context*, Blackwell, Oxford.
Gutt, Ernst-August (1996) "Implicit Information in Literary Translation: A Relevance-Theoretic Perspective," *Target* 8, 239–256.
Gutt, Ernst-August (2000) *Translation and Relevance: Cognition and Context* (2nd edition), St. Jerome, Manchester.
春木茂宏 (2000)「アイロニーと文脈効果: 関連性理論的分析」*JELS* 17, 37–46.
Higashimori, Isao (1986) "*Ever* and Pragmatics," *English Literature Review* 34, 89–120, Kyoto Women's University.
Higashimori, Isao (1992a) "BUT / YET / STILL and Relevance Theory,"『成田義光教授還暦祝賀論文集』334–354, 英宝社, 東京.
Higashimori, Isao (1992b) "Review Article: *Mental Representations: The Interface between Language and Reality*," *English Linguistics* 9, 335–

356.
東森勲 (1996)「メトニミー理解と関連性理論」龍谷大学社会科学研究所『社会科学研究年報』26, 61–86.
東森勲 (1997)「メトニミーによる意味変化と関連性」『神戸女学院大学論集』44: 2, 1–42.
東森勲 (1998a)「談話と関連性」『神戸女学院大学論集』44: 3, 41–67.
東森勲 (1998b)「借用語と関連性理論」『神戸女学院大学論集』45: 1, 1–28.
東森勲 (1999)「In other words と認知語用論」『神戸女学院大学論集』46: 1, 1–27.
東森勲 (2000)「シェークスピアの作品における談話のつなぎ語の意味と文法化」『神戸女学院大学論集』47: 2, 66–89.
Higashimori, Isao and Deirdre Wilson (1996) "Questions on Relevance," *UCL Working Papers in Linguistics* 8, 111–124, University College London.
廣瀬幸生・加賀信広 (1997)『指示と照応と否定』(「日英語比較選書」4) 研究社, 東京.
Hjort-Pedersen, Mette (1996) "Legal Translation and the Principle of Relevance," *Multilingua* 15, 361–371.
Horn, Laurence R. (1972) *On the Semantic Properties of Logical Operators in English*, Doctoral dissertation, University of California, Los Angeles. [Distributed by the Indiana University Linguistic Club, 1976]
Horn, Laurence R. (1989, 2001^2) *A Natural History of Negation*, University of Chicago Press, Chicago.
Ifantidou, Elly (1993a) "Sentential Adverbs and Relevance," *Lingua* 90, 69–90.
Ifantidou, Elly (1993b) "Parentheticals and Relevance," *UCL Working Papers in Linguistics* 5, 193–210, University College London.
Ifantidou, Elly (1994) *Evidentials and Relevance*, Doctoral dissertation, University of London.
Ifantidou, Elly (2001) *Evidentials and Relevance*, John Benjamins, Amsterdam.
今井邦彦 (2001)『語用論への招待』大修館書店, 東京.
Ishimaru, Kyoko (1993) "Relevance Theory and the Analysis of Newspa-

per Advertisement," 福岡言語学研究会編『言語学からの眺望』, 161–174, 九州大学出版会.
Itani, Reiko (1995) "A Relevance-Based Analysis of Lakoffian Hedges: Sort of, A Typical and Technically," *UCL Working Papers in Linguistics* 7, 87–105, University College London.
Iwata, Seizi (1998) "Some Extension of the Echoic Analysis of Metalinguistic Negation," *Lingua* 105, 49–65.
Jary, Mark (1998) "Relevance Theory and the Communication of Politeness," *Journal of Pragmatics* 30, 1–19.
Jodlowiec, Maria (1991) "What Makes Jokes Tick," *UCL Working Papers in Linguistics* 3, 241–253, University College London.
Kaplan, David (1989) "Demonstratives," *Themes from Kaplan*, ed. by Joseph Almog, John Perry, and Howard Wettstein, 481–563, Oxford Universtiy Press, Oxford.
河上誓作 (1984)『文の意味に関する基礎的研究: 認識と表現の関連性をめぐって』(大阪大学文学部紀要 24), 大阪大学.
河上誓作 (1987)「偽善型, 偽悪型アイロニーと世辞, 謙遜表現」『日本語・日本文化研究論集』4, 23–64, 大阪大学文学部共同研究センター.
河上誓作 (1993a)「Overstatement と Understatement: アイロニーを取りまく関連語彙の研究」福岡言語学研究会編『言語学からの眺望』, 235–246, 九州大学出版会.
河上誓作 (1993b)「発話行為とアイロニー」『英語青年』139: 5, 228–230.
Kawakami, Seisaku (1996) "Metaphor and Metonymy in Japanese Nickname," *Poetica* 46, 77–88.
河上誓作 (1998)「アイロニーの言語学」『待兼山論叢』32 (文学編), 1–16, 大阪大学.
河上誓作 (2000)「Simulation と Dissimulation」『藤井治彦先生退官記念論文集』, 131–143, 英宝社, 東京.
Khalfa, Jean, ed. (1994) *What Is Intelligence?*, Cambridge University Press, Cambridge.
小泉保編 (2001)『入門語用論研究: 理論と応用』研究社, 東京.
Kövecses, Zoltan (1995) "Anger: Its Language, Conceptualization, and Physiology in the Light of Cross-Cultural Evidence," *Language and*

the Cognitive Construal of the World (*Trends in Linguistics*), ed. by John R. Taylor and Robert E. MacLaury, 181–196, Mouton, Berlin.

Leech, Geoffrey N. (1983) *Principles of Pragmatics*, Longman, London.

Leinonen, Eeva and Debra Kerbel (1999) "Relevance Theory and Pragmatic Impairment," *International Journal of Language & Communication Disorders* 34, 367–390.

Levinson, Stephen C. (1983) *Pragmatics*, Cambridge University Press, Cambridge.

Levinson, Stephen C. (1988) "Generalized Conversational Implicatures and the Semantics / Pragmatics Interface," ms., University of Cambridge.

Levinson, Stephen C. (2000) *Presumptive Meanings: The Theory of Generalized Conversational Implicature*, MIT Press, Cambridge, MA.

Matos Amaral, Patricia (2000) "Metapor and Relevance," *Philologie im Netz* 12, 1–15.

Matsui, Tomoko (2000) *Bridging and Relevance*, John Benjamins, Amsterdam.

三原京 (1994)「英語のジョークに関する一考察」*Osaka Literary Review* 33, 29–41.

毛利可信 (1980)『英語の語用論』大修館書店, 東京.

Nicolle, Steve (1999) "On the Translation of Implicit Information: Experimental Evidence and Further Considerations," *Notes on Translation* 13, 1–12.

Nicolle, Steve and Billy Clark (1999) "Experimental Pragmatics and What Is Said: A Response to Gibbs and Moise," *Cognition* 69, 337–354.

西山佑司 (2001)「関連性理論」辻幸夫編『ことばの認知科学事典』, 294–303, 大修館書店, 東京.

Noh, Eun-Ju (1995) "A Pragmatic Approach to Echo Questions," *UCL Working Papers in Linguistics* 7, 107–140, University College London.

Noh, Eun-Ju (1998a) "Echo Questions: Metarepresentation and Pragmatic Enrichment," *Linguistics and Philosophy* 21, 603–628.

Noh, Eun-Ju (1998b) "A Relevance-Theoretic Account of Metarepresen-

tation Uses in Conditionals," *Current Issues in Relevance Theory*, ed. by Villy Rouchota and Andreas H. Jucker, 271–304, John Benjamins, Amsterdam.
Noh, Eun-Ju (2000) *Metarepresentation: A Relevance-Theory Approach*, John Benjamins, Amsterdam.
太田朗 (1980)『否定の意味』大修館書店, 東京.
Papafragou, Anna (1995) "Metonymy and Relevance," *UCL Working Papers in Linguistics* 7, 141–175, University College London.
Papafragou, Anna (1996) "Figurative Language and the Semantics-Pragmatics Distinction," *Language and Literature* 5, 179–193.
Papafragou, Anna (2000) *Modality: Issues in the Semantics-Pragmatics Interface*, Elsevier, Amsterdam.
Pilkington, Adrian (2000) *Poetic Effects*, John Benjamins, Amsterdam.
Quirk, Randolf, et al. (1985) *A Comprehensive Grammar of the English Language*, Longman, London.
Reboul, Anne (1993) "Relevance and Argumentation: How Bald Can You Get," *Argumentation* 3, 285–302.
Recanati, François (1987) *Meaning and Force*, Cambridge University Press, Cambridge.
Recanati, François (1993) *Direct Reference: From Language to Thought*, Blackwell, Oxford.
Recanati, François (2000) *Oratio Obliqua, Oratio Recta: An Essay on Metarepresentation*, MIT Press, Cambridge, MA.
Rouchota, Villy (1992a) "On Indefinite Descriptions," *UCL Working Papers in Linguistics* 4, 259–297, University College London.
Rouchota, Villy (1992b) "On the Referential / Attributive Distinction," *Lingua* 87, 137–167.
Rouchota, Villy (1998) "Procedural Meaning and Parenthetical Discourse Markers," *Discourse Markers: Descriptions and Theory*, ed. by Andreas H. Jucker and Yael Ziv, 97–126, John Benjamins, Amsterdam.
坂原茂 (1985)『日常言語の推論』東大出版会, 東京.
Searle, John R. (1979) "Metaphor," *Metaphor and Thought*, ed. by Andrew Ortony, 92–123, Cambridge University Press, Cambridge. [Reprinted in *Pragmatics: A Reader*, ed. by Steven Davis, 519–539,

Oxford University Press, Oxford, 1991]
Setton, Robin (1999) *Simultaneous Interpretation: A Cognitive-Pragmatic Analysis*, John Benjamins, Amsterdam.
塩田英子 (2001)「文字テロップと推論モデル」『表現研究』74, 47-56.
Smith, Neil (1990) "Observations on the Pragmatics of Tense," *UCL Working Papers in Linguistics* 2, 82-94, University College London.
Song, Nam Sun (1998) "Metaphor and Metonymy," *Relevance Theory: Applications and Implications*, ed. by Robyn Carston and Seiji Uchida, 87-104, John Benjamins, Amsterdam.
Spears, Richard A. (1995) *NTC's Dictionary of American Slang and Colloquial Expressions,* National Textbook Company, Tokyo.
Sperber, Dan (1975) *Rethinking Symbolism*, Cambridge University Press, Cambridge.
Sperber, Dan (1985) *On Anthropological Knowledge*, Cambridge University Press, Cambridge.
Sperber, Dan (1994) "Understanding Verbal Understanding," *What Is Intelligence?*, ed. by Jean Khalfa, 179-198, Cambridge University Press, Cambridge.
Sperber, Dan, ed. (2000) *Metarepresentations: A Multidisciplinary Perspective* (Vancouver Studies in Cognitive Science 10), Oxford University Press, Oxford.
Sperber, Dan and Deirdre Wilson (1981) "Irony and the Use-Mention Distinction," *Radical Pragmatics*, ed. by Peter Cole, 295-318, Academic Press, New York.
Sperber, Dan and Deirdre Wilson (1985 / 1986) "Loose Talk," *The Proceedings New Series* Vol. LXXXVI, 153-171, The Aristotelian Society.
Sperber, Dan and Deirdre Wilson (1986, 1995^2) *Relevance: Communication and Cognition*, Blackwell, Oxford.
Sperber, Dan and Deirdre Wilson (1997a) "The Mapping between the Mental and the Public Lexicon," *UCL Working Papers in Linguistics* 9, 107-126, University College London.
Sperber, Dan and Deirdre Wilson (1997b) "Remarks on Relevance Theory and the Social Sciences," *Multilingua* 16, 145-151.

Sperber, Dan and Deirdre Wilson (2002) "Pragmatics, Modularity and Mind-reading," *Mind & Language* 17, 3–23.

Sperber, Dan, Francesco Cara, and Vittorio Girotto (1995) "Relevance Theory Explains the Selection Task," *Cognition* 57, 31–95.

Stainton, Robert (1994) "Using Non-Sentences: An Application of Relevance Theory," *Pragmatics and Cognition* 2, 269–284.

滝沢修 (1996)「だじゃれの極意を究めたい」『朝日新聞』1996 年 4 月 26 日, p. 13.

Tanaka, Keiko (1992) "The Pun in Advertising: A Pragmatic Approach," *Lingua* 87, 91–102.

Taylor, John R. (1995) *Linguistic Categorization: Prototypes in Linguistic Theory*, Clarendon Press, Oxford.

内田聖二 (1993)「関連性理論とコミュニケーション」『言語』22: 7, 62–65.

内田聖二 (1994)「関連性理論: その評価と展望」奈良女子大学英語英米文学科『外国文学研究』16, 39–58.

内田聖二 (2000a)「いわゆる談話標識をめぐって: Constraints on implicatures or explicatures?」『英語語法文法研究』19–33.

内田聖二 (2000b)「ダイクシス: 関連性理論からの視点」『英語青年』146: 7, 431–432.

内田聖二 (2002)「高次表意からみた日英語比較への一視点」奈良女子大学大学院人間文化研究科『人間文化研究科年報』17, 7–18.

Ueda, Makoto (1982) *The Master Haiku Poet: Matsuo Basho*, Kodansha, Tokyo.

Unger Christoph (2001) *On the Cognitive Role of Genre: A Relevance-Theoretic Perspective*, Doctoral dissertation, University of London, External Programme.

Watts, Richard J. (1989) "Comic Strips and Theories of Communication," *Word & Image* 5, 173–180.

Watts, Richard J. (1997) "Relevance Theory and Verbal Interruptions: Assessing Discourse Status," *Multilingua* 16, 153–186.

Wharton, Tim (2000) "Interjections, Language and the 'Showing' / 'Saying' Continuum," *UCL Working Papers in Linguistics* 12, 173–214, University College London.

Wharton, Tim (2001) "Natural Pragmatics and Natural Codes," *UCL Working Papers in Linguistics* 13, 109–158, University College London.

Wilson, Deirdre (1990) "Prototypes and the Encyclopaedia," lecture notes, University College London.

Wilson, Deirdre (2000) "Metarepresentation in Linguistic Communication," *Metarepresentations: A Multidisciplinary Perspective* (Vancouver Studies in Cognitive Science 10), ed. by Dan Sperber, 411–441, Oxford University Press, Oxford.

Wilson, Deirdre and Dan Sperber (1986) "Inference and Implicature in Utterance Interpretation," *Reasoning and Discourse Processes*, ed. by Terry Myers, Keith Brown, and Brendon McGonigle, 241–263, Academic Press, New York.

Wilson, Deirdre and Dan Sperber (1988a) "Representation and Relevance," *Mental Representations: The Interface between Language and Reality*, ed. by Ruth M. Kempson, 133–153, Cambridge University Press, Cambridge.

Wilson, Deirdre and Dan Sperber (1988b) "Mood and the Analysis of Non-Declarative Sentences," *Human Agency: Language, Duty and Value*, ed. by Jonathan Dancy, Julius Moravcsik, and Charles Taylor, 77–101, Stanford University Press, Stanford.

Wilson, Deirdre and Dan Sperber (1992) "On Verbal Irony," *Lingua* 87, 53–76.

Wilson, Deirdre and Dan Sperber (1993) "Linguistic Form and Relevance," *Lingua* 90, 1–25.

Wilson, Deirdre and Dan Sperber (2000) "Truthfulness and Relevance," *UCL Working Papers in Linguistics* 12, 215–254, University College London.

Wilson, John and Jonathan Rose (1997) "The Language of Peace and Conflict: Relevance Theory and the Anglo-Irish Agreement," *Journal of Conflict Studies*, Fall, 51–72.

Winner, Ellen (1988) *The Point of Words: Children's Understanding of Metaphor and Irony*, Harvard University Press, Cambridge, MA.

Wolf, Alain J. E. (1999) "Context and Relevance Theory in Language

Teaching: An Explanatory Approach," *International Review of Applied Linguistics in Language Teaching* 37, 95–109.
Yamanashi, Masa-aki (1998) "Some Issues in the Treatment of Irony and Related Tropes," *Relevance Theory: Applications and Implications*, ed. by Robyn Carston and Seiji Uchida, 271–281, John Benjamins, Amsterdam.
山梨正明（2000a）「認知言語学からみた関連性理論」『学習院大学言語共同研究所紀要』24, 148–156.
山梨正明（2000b）「関連性理論のアプローチの批判的検討」『英語青年』146: 7, 427–430.
山梨正明（2000c）「語用論のダイナミズム」『語用論研究』2, 1–6.
山梨正明（2001）「認知語用論」小泉保編『入門語用論研究：理論と応用』研究社，東京．
Yoshimura, Akiko (1992) "The Cognitive Structure of Negation as an NPI-Licensing Condition," *English Linguistics* 9, 244–264.
Yoshimura, Akiko (1994) "A Cognitive Constraint on Negative Polarity Phenomena," *Proceedings of the 20th Annual Meeting of the Berkeley Linguistics Society*, 599–610.
Yoshimura, Akiko (1995) "A Procedural View of Metalinguistic Negation," *Osaka University Papers in English Linguistics* 2, 223–240.
Yoshimura, Akiko (1998) "Procedural Semantics and Metalinguistic Negation," *Relevance Theory: Applications and Implications*, ed. by Robyn Carston and Seiji Uchida, 105–122, John Benjamins, Amsterdam.
吉村あき子（1998a）「英語における否定環境の意味論的階層性」『大阪学院大学外国語論集』37, 130–151, 大阪学院大学外国語学会．
吉村あき子（1998b）「否定極性へのアプローチ：否定極性現象の意味論的・認知語用論的側面」『英語青年』144: 9, 544–546.
吉村あき子（1999a）『否定極性現象』英宝社，東京．
吉村あき子（1999b）「メタ言語的否定をめぐる論争」『英語青年』145: 1, 41.
吉村あき子（1999c）「関連性理論の動向」『英語青年』145: 4, 231.
Yoshimura, Akiko (2000) "The Target of Metalinguistic Use of Negation: A Unified Characterization from the Cognitive Processing Point of

View,"『学習院大学文学部言語共同研究所紀要』24, 109–118.
吉村あき子（2000a）「メタ言語否定と関連性理論」，学習院大学文学部言語共同研究所研究集会発表論文．
吉村あき子（2000b）「*一滴でも飲まなかった /*飲んだ」『言語』29: 11, 52–58.
吉村あき子（2000c）「メタ言語否定と関連性理論」『英語青年』146: 7, 438–439.
吉村あき子（2000d）「日本語の否定環境」『藤井治彦先生退官記念論文集』，961–972, 英宝社，東京．
吉村あき子（2000e）「メタ言語否定の否定対象に関する考察：認知処理プロセスにおける統一的規定の可能性」奈良女子大学文学部『研究年報』44, 51–66.
吉村あき子（2001a）「否定文」中島平三編『英語構文事典』第 20 章（194–211), 大修館書店，東京．
吉村あき子（2001b）『極性文脈の認知メカニズム』平成 10 年度〜平成 11 年度科学研究費補助金(基盤研究 (C) (2))研究成果報告書．
Yuasa, Nobuyuki（1987）"'The Sound of Water': Different Versions of a Hokku by Basho," *The Translator's Art: Essays in Honour of Betty Radice*, ed. by William Radice and Barbara Reynolds, 231–240, Penguin, Harmondsworth, Middlesex.
Yus Ramos, Francisco（2000）"Cyberpragmatics"（http://www.phon.ucl.ac.uk/home/robyn/relevance/relevance_archives/0058.html）.
Žegarac, Vladimir（1998）"What Is Phatic Communication?" *Current Issues in Relevance Theory*, ed. by Villy Rouchota and Andreas H. Jucker, 327–361, John Benjamins, Amsterdam.

例 文 出 典

British National Corpus（http://sara.natcorp.ox.ac.uk/lookup.html）.
Don, Ian（1984）*Splash*, A Star Book, London.
Goldman, Leslie（1999）*Toy Story 2*, Disney Press, New York.
The Hiragana Times, 1996, No. 113, ヤック企画，東京．
Kahn, James（1985）*The Goonies*, Cornet Books, Cornwall.
Kirkup, James（1976）*Humour Is International*, Asahi Press, Tokyo.

小西友七編（1999）『アクティブジーニアス英和辞典』大修館書店，東京．
小西友七・南出康世編（2001）『ジーニアス英和大辞典』大修館書店，東京．
『エルマガジン』(*Lmagazine*) 1996 年 2 月号，京阪神エルマガジン社，大阪．
Mangajin, 1996, No. 52; 1997, No. 70, Wasabi Brothers, Atlanta.
Matthews, Peter（1997）*The Concise Oxford Dictionary of Linguistics*, Oxford University Press, Oxford.
Shakespeare, William（1606）*Macbeth*, in *The Arden Shakespeare Complete Works,* ed. by Richard Proudfoot, Ann Thompson, and David Scott Kastan, 1998, Thomas Nelson, Surrey.
Stainer, Brian（2000）*Screenplay: Stuart Little*, スクリーンプレイ社，名古屋．
Summers, Della（1995）*Longman Dictionary of Contemporary English* (Third Edition)（*LDOCE*^{3}）, Longman, London.
Webb, Charles（1963）*Graduate*, Penguin Books, Harmondsworth, Middlesex.
West, Tracey（1995）*Pokemon: I Choose You!*, Scholastic, New York.
Wetheall, William 監修（1993）『インタビューフラッシュ：日本編 1』アルク，東京．
Zemeckis, Robert and Bob Gale（1989）*Screenplay: Back to the Future*, Four-in, 東京．

索　引

あ　行
アイロニー　159
アイロニーの認識構造図　164
アイロニー分析　161
アクセス可能性（accessibility）　155
あてこすり表現（teasing expression）　164
アドホック概念　39, 55
アドホック概念形成（Ad hoc concept construction）　32, 38, 42, 111, 157
暗黙のうちに　169
言い換える表現（reformulation）　116
怒りの表現　145
一義化（disambiguation）　27, 32–34
一義化に障害　187
意図的　120
意図明示的コミュニケーション［伝達（行為）］（ostensive communication）　7, 18, 71, 142
意図明示的刺激（ostensive stimulus）　7, 9, 11, 19
意味内容の類似性（resemblance in content）　107
意味の非決定性（indeterminacy）　110
意味変化　153
意味論的に含意する（entail）　128
嫌み（sarcasm）　161
因果関係スキーマ　61
引用（quotation）　106
英語教育　190
エコー疑問文（echo question）　116, 120
エコー的言及説（echoic mention theory）　161
エコー的ほのめかし　164, 171

エコー的用法　154
エコーによる解釈的用法（echoic interpretive use）　161
エコーの焦点（focus of echo）　140
演繹　14
演繹的（deductive）　104
婉曲的　187
演算　163
音韻論的特性　127
音声的・音韻的類似性　106
オンライン広告（online advertising）　179
オンライン上のプロセス　109
オンラインの発話解釈　111

か　行
解釈仮説　20, 22, 59
解釈仮定　21, 22
解釈的類似性（interpretive resemblance）　103
解釈的用法（interpretive use）　103
概念（concept）　110
概念的意味　116
概念的コード化　70, 75, 76, 78–80
概念的情報　78, 82
概念のルース化（loosening）　108
概念表示（conceptual representation）　12
会話の含意　25
拡張　153
河上　164
含意（implicature）　149
感覚とメタファー　152
関係の格率（maxim of relation）　26
慣習化された用法　154

[211]

慣習的含意　139
慣習的メタファー　148, 151, 153
間接引用　171, 179
完全な命題　162
関連性　13
関連性の原則　18, 111
関連性の見込み　108
関連性理論（Relevance Theory）　6
緩和表現（hedge）　113
偽（false）　103
記憶ファイル　110, 152
擬音語　152
帰結　163
帰結推意（implicated conclusion）　50, 51
記号化された概念（encoded concept）　112
疑似仮定　135
記述的否定　138
記述的用法（descriptive use）　103
擬声語　152
帰属的エコー用法（echoic attributive use）　123
帰属的解釈用法（attributive interpretive use）　116
帰属的表示　126
帰属的メタ表示（attributive metarepresentation）　116
帰納　14
基本表意　47
共感覚的メタファー　152
強調（emphasis）　132
協調の原則（Cooperative Principle）　25, 143
形態論的特性　127
劇のト書き　190
言外の含み（connotation）　127
言及（mention）　161
言語音の類似性　106
言語慣習含意（conventional implicature）　27, 83

言語使用域（register）　123, 127, 132
言語障害　187
言語治療　187
言語的意味の不確定性（linguistic underdeterminacy）　42, 44, 45
言語的コード化　74
言語的コンテクスト　118
言語的方法　185
言語能力　5
顕在的（manifest）　12, 13
原文　180
語彙化された概念を狭く / 拡充 / 強くする（narrowing / enrichment / strengthening）　111
語彙化された概念をルースに / 広く / 弱くする（loosening / broadening / weakening）　111
語彙の情報　110
交感関係の伝達（phatic communication）　185
後件　132
広告コピー　178
広告とアイロニーの研究　164
広告の見出し　175
高次表意　47, 48, 125, 186
高次表意への制約　97
構造をもった句概念（structured phrasal concept）　113
肯定的（positive）な伝達　186
公的表示（public representation）　107, 128
誇張表現（hyperbole）　109, 143, 146
コード化　4, 40, 69, 74, 83, 102
言葉によるアイロニー（verbal irony）　160
コードモデル（code model）　11, 180
子どもの言語習得　165
ことわざ　180
語用論的拡充に異常　188
語用論的障害　188
語用論的推論　46

語用論的に拡充（enrichment） 108
コンテクスト含意（contextual implication） 103
コンテクスト効果 111

さ　行
最小命題（minimal proposition） 27
最小労力 19–21
最適な関連性 108
サイバー語用論（cyberpragmatics） 191
坂原 129
塩田 183
視覚情報 132
思考（thought） 145
事実に関する想定（factual assumptions） 151
指示表現（referring） 156
指示付与 146
辞書学 190
持続的メタファー（sustained metaphor） 149
失語症 190
質の格率（maxim of quality） 25
質量含意 129
詩的効果 191
私的な心的表示（private mental representation） 107
詩的メタファー（poetic metaphor） 148
シネクドキ 143
自分はそうは思わないという態度（dissociative attitude） 140, 165
自明 174
社会的語用論 109
社会的想定（social assumptions） 184
社会的要因 183
尺度含意（scalar implicature） 57, 63–66, 139
写像（mapping） 152
死喩（dead metaphor） 148

自由拡充 32, 33, 36–38
自由間接話法（free indirect speech） 125, 165
十分条件（sufficient condition） 130
十分条件仮説（sufficiency hypothesis） 130
主観化（subjectivity） 153
状況によるアイロニー（situational irony） 164
条件文 129
焦点 127
焦点化 140
情報意図 7, 8
ジョーク 166
叙述（predication） 156
処理労力 13, 115, 177
真（truth） 103
心的表示 128
心的モジュール（mental module） 4
新聞の見出し 190
真理関数の演算子 138
真理関数表 129
心理言語学的実験結果 150
真理値 128
推意（implicature） 23, 31, 54, 56, 73, 127, 146, 149
推意に障害 189
推論（infer） 3
推論的コミュニケーション（inferential communication） 5
推論モデル（inference model） 11
数量化した（quantitative）概念 105
スタイル 127
（情報の）精緻化（elaboration） 119
前件 131
先行発話 120
全体的首尾一貫性（global coherence） 191
選択課題 190
前提推意（implicated premise） 50, 51

創造性（creativity）　148
創造的メタファー　148, 153
想定　146
想定スキーマ　61
挿入句　128
存在前提　124, 139

た　行

対照強勢　137
態度副詞（attitudinal adverbial）　80, 81
滝沢　172
だじゃれ（pun）　171, 177
忠実性（faithfulness）　103
抽象的表示　128
中心化　140
直接指示（direct referring）　154
直訳　180
通時的研究　191
強い推意　52
丁寧さ（politeness）　183
手続き的意味　115
手続き的コード化　70, 75, 76, 85
手続き的情報　78, 81, 85, 86, 92
手続き的制約　114–15
伝達意図　7, 8
伝達された概念（communicated concept）　112
伝統的レトリック　141
伝聞副詞（hearsay adverb）　128
伝聞不変化詞（hearsay particle）　127
伝聞法助動詞（hearsay modals）　127
問い返し疑問文　120
同一言語間での翻訳　183
同一表現の繰り返し　173
同格を表す談話標識（apposition marker）　118
統語形式　120
統語的・語彙的類似性　106
同時通訳の翻訳　182
とっさの名づけ（spontaneous dubbing）　156
トートロジー（tautology）　174

な　行

二重否定　137, 138
ニックネーム　173
日本語のだじゃれ　172
認知意味論　153
認知環境（cognitive environment）　12, 13, 16
認知効果（cognitive effect）　13, 16, 47, 49, 90
認知効果に対する制約　95
認知心理学　190
認知能力　143
望ましい発話　129
望ましい（desirable）もの　127

は　行

ばかげた推意　167
ばかげた想定　164, 167
橋渡し推意（bridging implicature）　191
発語内行為　125
発語内行為副詞（illocutionary adverbial）　80–82
発話　1, 146
発話解釈　9
発話行為　125
発話の論理形式　56
パロディ　171
反事実を表す直説法条件文（counterfactual indicative conditional）　135
範疇上の偽（category falsity）　143
非意図的　164
控えめ表現（understatement）　144, 174
比較に基づく（comparative）概念　105
東森　171, 191
非帰属的メタ表示（non-attributive metarepresentation）　116

索　引　215

非言語的方法　185
非真理関数的　137
非真理条件的意味　124
否定極性項目（Negative Polarity Item）　99, 100, 137, 138
否定辞　137
否定的態度　186
否定の作用域　115, 140
ひとり言のエコー疑問文（self-addressed echo question）　127
非明示的　154, 165
非明示的エコー用法（implicit echoic use）　138
百科事典的項目　110, 177
表意（explicature）　23, 31, 54, 56, 73
表出命題への制約　96
非累積的エコー（non-cumulative echo）　128
含み（implications）　107
侮辱　184
侮辱的（impolite）な解釈　185
2つの矛盾する想定　168
不変化詞　128
文学的解釈　191
文彩（trope）　107
分析的含意（analytic implication）　103
文体　123
文法化（grammaticalization）　191
文脈含意　16, 50
文脈に対する制約　95
返答（rejoinder）　137
編入（incorporate）　138
飽和　32, 33, 35, 36
ホーンの尺度（Horn's Scale）　64
翻訳　179, 180
翻訳理論　179

ま　行

漫画の翻訳　182
矛盾した推意　166
命題　127
命題形式（propositional form）　104
命題形式の類似性　181
命題内容の類似性　106
命名（naming）　154
メタ言語的否定　115, 136, 137
メタ表示（metarepresentation）　105, 116
メタ表示能力（metarepresentational ability）　3–5, 9
メタ表示の想定（metarepresented assumption）　152
メタファー（metaphor）　143–47
メタファーを含む条件文（metaphorical conditional）　135
毛利　135
文字テロップ　183
文字どおりの解釈（literalness）　107

や　行

訳文　180
山梨　155, 191
友好的でない解釈　185
友好的な解釈　185
ユーモア　169
要素間のつながり（association）　155
様態の格率（maxim of manner）　26
用法（use）　161
要約（summary）　119
呼び出し可能性　155
呼び出し可能な想定　175
弱い推意　52, 53, 148

ら・わ　行

量の格率（maxim of quantity）　25
類似条件文　129
類似性（resemblance）　103, 155
類似命題（semi-proposition）　112
累積的エコー（cumulative echo）　128
ルース・トーク（loose talk）　107
論理形式（logical form）　104
論理的項目　110

笑いの分析　166

A〜Z
Andersen　114
Biber et al.　116
Blakemore　76, 90, 117
Brown and Levinson　187
Burton-Roberts　136
Carston　36, 57, 104, 171
Carston and Uchida　110
Chomsky　192
Clark and Gerrig　105
Cognitive Pragmatics　192
concept echoing　173
Curco　168
Elena Vega-Moreno　113
Gibbs　150, 175
Green　191
Grice　109
Grice's circle　30
Gutt　106
Gutt, Ernst-August　192
Higashimori　163, 164
Higashimori and Wilson　113
Horn　136
Ishimaru　175
Itani　113
Iwata　140

Jodlowiec　166
Jucker, Andreas H.　192
Leech　187
Levinson　149
Matsui　191
Nicolle and Clark　190
Noh　117
NPI　99
Papafragou　154
Pilkington　145, 151, 173
Pragmatics　192
Recanati　128
Rouchota　170
Setton　182
Smith　190
Sperber　103, 152
Sperber and Wilson　6, 13, 18, 31, 35
Sperber, Cara and Girotto　190
Sperber, Dan　192
Tanaka　177
Unger　191
Wilson　103, 104
Wilson and Sperber　72
Wolf　190
Yamanashi　164
Yoshimura　141
Zegarac　185

〈著者紹介〉

原口庄輔(はらぐち　しょうすけ)　1943年生まれ．明海大学外国語学部教授．
中島平三(なかじま　へいぞう)　1946年生まれ．学習院大学文学部教授．
中村　捷(なかむら　まさる)　1945年生まれ．東北大学大学院文学研究科教授．
河上誓作(かわかみ　せいさく)　1940年生まれ．神戸女子大学教授．
東森　勲(ひがしもり　いさお)　1951年大阪府生まれ．大阪大学大学院文学研究科博士課程単位取得退学．現在，龍谷大学文学部教授．主著: Isao Higashimori and Deirdre Wilson (1996) "Questions on RELEVANCE" *UCL Working Papers in Linguistics* 8: 112–124,『英語基本形容詞・副詞辞典』(共著)(研究社, 1989),『アクティブジーニアス英和辞典』(共著)(大修館書店).
吉村あき子(よしむら　あきこ)　1959年奈良県生まれ．大阪大学大学院文学研究科博士後期課程(英語学専攻)単位取得退学(1993)．博士(文学)(大阪大学 1997)．現在，奈良女子大学文学部助教授．著書:『否定極性現象』(英宝社, 1999, 市河賞受賞)．論文: "The Cognitive Structure of Negation as an NPI-Licensing Condition," *English Linguistics* 9 (1992), "A Cognitive Constraint on Negative Polarity Phenomena," *BLS* 20 (1994),「メタ言語否定と関連性理論」『英語青年』第146巻　第7号(研究社, 2000), など．

英語学モノグラフシリーズ 21
関連性理論の新展開
認知とコミュニケーション

2003年2月10日　初版発行
2022年3月4日　第5刷発行

編　者　原口庄輔・中島平三
　　　　中村　捷・河上誓作
著　者　東森　勲・吉村あき子
発行者　吉　田　尚　志
印刷所　研究社印刷株式会社

KENKYUSHA
〈検印省略〉

発行所　株式会社　研究社
https://www.kenkyusha.co.jp

〒102-8152
東京都千代田区富士見 2-11-3
電話 (編集) 03(3288)7711(代)
　　 (営業) 03(3288)7777(代)
振替 00150-9-26710

ISBN 978-4-327-25721-7　C3380　　Printed in Japan